De Tweede Wereldoorlog

Norman Stone

De Tweede Wereldoorlog

Een beknopte geschiedenis

Omniboek

© Uitgeverij Omniboek, 2014
Postbus 13288, 3507 LG Utrecht
www.uitgeverijomniboek.nl

Oorspronkelijk verschenen onder de titel *World War Two: A Short History* bij Allen Lane in 2013.

© Norman Stone, 2013
Vertaling Geraldine Damstra (Littera Scripta)
Omslagontwerp Garage BNO
Opmaak binnenwerk GBU grafici

De rechten van de Nederlandse vertaling berusten bij Uitgeverij Omniboek

ISBN 978 90 5977 931 0
ISBN e-book 978 90 5977 932 7
NUR 689

Inhoud

Lijst van kaarten

Inleiding

Het Europa van 1914 toont grote luister als je kijkt naar de belangrijke monumenten in de Europese hoofdsteden die in deze periode werden gebouwd. Ze hebben iets triomfantelijks: The Mall
in Londen, het centrum van het Britse Rijk dat een kwart van het
landoppervlak op aarde besloeg; de nieuwe Hofburg in Wenen,
waar iedereen zich een expositiestuk moet hebben gevoeld in het
museum dat de stad weldra werd; het Millenniummonument in
Boedapest, ter herinnering aan de komst van de Hongaren naar
Centraal-Europa, duizend jaar geleden; het enorme monument
voor Victor Emmanuel II in Rome. Een tijdje daarvoor had Napoleon zijn invloed in Parijs doen gelden, en het triomfalisme van
die periode is vooral zichtbaar in de Pont Alexandre III. Of het nu
in Europa was of in Amerika, je moest je gedragen alsof je heer en
meester was van het heelal. Zelfs de kleinere hoofdsteden – zoals
Brussel, dat heerste over de Congo – hadden hun eigen pompeus
vertoon. Het spectaculairste vertoon was niet te zien in Europa
maar in de stad New Delhi, het 'juweel van de Britse kroon', vorm-
gegeven door Sir Edwin Lutyens. Onderkoning Lord Curzon zei
in 1904 dat de Britten over Indië moesten heersen 'alsof het voor
eeuwig was'. In werkelijkheid vertrokken ze in 1947 weer, en tegen die tijd waren al deze prachtige hoofdsteden kapotgeschoten
als gevolg van de oorlog of zagen ze er in elk geval zeer verwaar-
loosd uit. Het centrum van Berlijn was één grote puinhoop, en
op de Siegesallee staarden de pompeuze standbeelden uit over
een wildernis van onkruid, verbrande heesterhagen en de dode
lichamen van dieren die ontsnapt waren uit de nabijgelegen die-
rentuin. De eeuw begon met de pracht en praal van de begrafenis
van koningin Victoria, waarvoor alle wereldheersers naar Londen

kwamen, maar was nog niet eens halverwege of de hele vertoning van het imperium kreeg in 1945 haar eigen begrafenis.

Tussen het begin van de Eerste Wereldoorlog en het einde van de Tweede zat slechts dertig jaar en die waren – met een korte onderbreking in de tweede helft van de jaren twintig – verwoestend. Tot 1914 geloofde iedereen, afgezien van een aantal pessimistische schrijvers, in 'de vooruitgang'. H.G. Wells was de belangrijkste vertolker van dit gevoel: de wetenschap zou de mensheid redden [van de ondergang]. In 1945 was Wells – in zijn laatste boek: *Mind at the End of Its Tether* – alleen nog maar zeer pessimistisch. Toch bleek hij het wederom bij het verkeerde eind te hebben. Na 1945, of op z'n laatst na de lancering van het Marshallplan in 1947, was er alleen maar vrede en voorspoed, en aan de nachtmerrie die dertig jaar had geduurd, kwam langzaam een einde. De wereld, in elk geval de westerse, keerde terug naar een vroeger patroon, dat van het eind van de negentiende eeuw. Tijdens de laatste veertig jaar van die eeuw had de economie haar grootste sprong voorwaarts van de moderne geschiedenis gemaakt, bezien van het punt waar men vandaan kwam. Paard-en-wagen waren vervangen door de auto; het ziekenhuis werd een plek om te genezen in plaats van te sterven aan infecties of alleen maar pijn te lijden; film, luchtvaart, psychoanalyse, wolkenkrabbers, telefoon: allemaal producten van die tijd. De levensverwachting schoot omhoog, de bevolking verdubbelde. Het culturele leven in die tijd was ook geweldig. In 1910 was de wereld voor een natuurwetenschapper één groot wonder. Je kon zonder paspoort en zonder dat het veel geld kostte naar internationale bijeenkomsten georganiseerd door de Belgische industrieel Ernest Solvay, en daar met de scherpzinnigste breinen ter wereld – Henri Poincaré, Albert Einstein, Marie Curie – discussiëren over de wis- en natuurkunde. In de meeste landen hadden er onderwijskundige hervormingen plaatsgevonden, waardoor het middelbaar onderwijs van die tijd beter was dan de universiteiten van nu. De mensen kenden de Bijbel en de klassieken van hun land; in de uitvoerende muziek was het niveau zeer hoog; er werd veel gepubliceerd en serieuze schrijvers als Thomas Mann of componisten als Richard Strauss werden rijk (omdat ze beiden *heel* voorzichtig omgingen met hun geld). Het pessimisme van de schrijver was echter terecht, want uit dit alles kwam wel de Eerste Wereldoorlog voort en daaruit weer de Tweede. Hoe dan?

Kortgezegd is het antwoord natuurlijk: door Duitsland. Otto von Bismarcks creatie was één groot succesverhaal; de leiders van het land stonden echter in zijn schaduw. De Duitsers beschouwden de Slaven steeds meer als inferieur. De Polen trokken met miljoenen tegelijk in westelijke richting naar Silezië en het industriegebied aan de Ruhr. Het kostte hun generaties om te assimileren. De Pruisische koningen waren daarom gedwongen Pools te leren, en de eerste die zijn zoon verbood dat te doen, was de kort regerende vader van Kaiser Wilhelm II. De relatie tussen Pruisen en Rusland was over het algemeen heel goed, de heersers van dat land waren sowieso meestal Duits of werden sterk beïnvloed door Duitsers. Dat veranderde echter in de jaren negentig van de negentiende eeuw, toen Rusland gezien werd als achtergebleven en barbaars. Ook ging het een militair bondgenootschap aan met Frankrijk, Duitslands rivaal, met in ruil daarvoor een groot bedrag aan Franse investeringen. In 1914 begonnen die zich terug te betalen. Rusland trok snel bij en er was groot alarm in Duitse militaire kringen dat, mocht het komen tot een tweefrontenoorlog, ze verpletterd zouden worden. Die alarmbellen betroffen een breed gebied. Er was Oostenrijk-Hongarije, het Habsburgse Rijk, duidelijk in verval. En er was het Ottomaanse Turkije, overduidelijk verwikkeld in hetzelfde proces. De Turken probeerden niettemin zowel de olietoevoer uit Irak als de Bosporus te controleren, waarlangs de voor Rusland zeer belangrijke graanhandel en nog veel meer plaatsvond. Toen de doorgang in 1911-12 kortstondig werd gesloten, ging ook de economie in Zuid-Rusland bijna ten onder. Wat dit betreft, lagen Duitsland en Rusland op ramkoers. Het probleem was, dat Duitsland naast Rusland ook nog andere vijanden had gemaakt. De Fransen hadden zich er nooit echt bij neergelegd dat ze in 1870 het onderspit delfden tegen Bismarck, en zij spaarden kosten noch moeite voor het herstel: ze bouwden een enorm leger op (zelfs monniken werden opgeroepen voor militaire dienst), een slagvaardige vloot en een ambitieuze buitenlandse politiek, die ze voerden samen met Rusland. De Franse vijandigheid was echter hanteerbaar, zolang de Britten neutraal bleven. En laat dat nu net de grootste fout zijn die de Duitsers rond de eeuwwisseling maakten. Ze waren van plan een marine op te bouwen, met het oog op wat ze noemden de *Weltpolitik* – de wereldpolitiek – ofwel de opbouw van een wereldrijk. Hun schepen waren echter anders dan die van de Britten of de Fransen. Die waren ontworpen om de wereld mee rond te varen, ter verdediging van de overzeese handel en bezittingen, en moesten dus genoeg capaciteit hebben om kolen te laden, maar hadden in ruil daarvoor wel een minder zware en dus minder dikke pantserbekleding. De Duitse schepen werden gebouwd met zeer weinig capaciteit om kolen te laden, dus konden zij meer gewicht steken in extra pantserbekleding. Het duurde even voordat de Britten zich realiseerden dat de Duitse oorlogsschepen echt alleen maar bedoeld waren om in de Europese wateren te blijven, en dat ze minder kwetsbaar waren dan de dunwandige Britse schepen. Het hele punt van de Duitse marine was, dat ze de Britten wilden koeioneren c.q. chanteren om concessies te doen aan Duitsland wat betreft de uitbreiding van hun rijk. Die concessies betroffen in de eerste plaats China, maar later ook het Midden-Oosten, de landen van het oude Ottomaanse Rijk. Vóór 1914 vormden Duitse schepen die de Noordzee op werden gestuurd, dezelfde dreiging als Hitlers luchtmacht vóór 1939. De Britten waren daar absoluut niet van onder de indruk, ze zochten gewoon elders bondgenoten. Het verbond met Japan in 1902 verminderde de last van hun verantwoordelijkheden in het Verre Oosten. In 1904 sloten de Britten een semibondgenootschap met Frankrijk, de *Entente Cordiale* ('vriendschapsverdrag'). Op het eerste gezicht was dit een overeenkomst aangaande de koloniën in Noord-Afrika. Er was strijd geweest over Egypte, waar de Britten een protectoraat hadden gevestigd met uitsluiting van de Fransen. Die hadden zich op hun beurt gevestigd in Marokko en behoefden internationale steun. Dit was de deal: Marokko voor Frankrijk, Egypte voor Engeland. Achter de schermen werden er afspraken gemaakt over de wateren: de Britten hielden toezicht op de Noordzee, de Fransen op de Middellandse Zee. Deze verdragen werden later uitgebreid, toen de Britten een deal sloten met de Russen en – na 1911 – plannen maakten voor militaire hulp aan Frankrijk als dat aangevallen zou worden door de Duitsers. Freud definieert een neurose als de situatie waarin iemands ergste nachtmerries bewaarheid worden; dat was de situatie waarin Duitsland verkeerde.

Een van de beroemdste Duitse boeken over de Eerste Wereldoorlog, is *Krieg der Illusionen*. Het is merkwaardig te zien hoe een stel hoogopgeleide mannen vol vertrouwen dingen voor waar aannamen die totaal verkeerd bleken te zijn. De lijst is oneindig: dat je het als wereldrijk altijd beter kreeg, dat je niet zonder slagschepen kon, dat het hebben van goud een soort krediet betekende, dat blokkade van de export leidde tot een revolutie, dat je met forten een invasie kon tegenhouden, dat je met het juiste moreel de strijd won. Het ging veel over de nationale eer, maar zoals Falstaff zei: 'Wat is eer? Het is een woord. Wat houdt dat woord "eer" in? Wat is die eer? Lucht.' In 1914 leken de Europese wereldrijken uit elkaar te vallen en was er sprake van een geopolitieke aardverschuiving, in die zin dat Rusland eindelijk zijn potentieel realiseerde. De Duitsers raakten in paniek, en de leiders van dat land probeerden een soort Verenigd Europa op te zetten, geregeerd vanuit Berlijn, waarin de belangrijkste delen van een uiteengevallen Rusland zouden worden opgenomen. De laatste grote illusie was dat de oorlog maar van korte duur zou zijn. Waarna de Europeanen tijdens de Slag bij de Marne op 9 september 1914 – die één groot fiasco werd – werden geconfronteerd met de realiteit van de moderne oorlogvoering. Vóór 1914 werd Europa geteisterd door een combinatie van sociale conflicten en het imperialistisch nationalisme. In 1917 deed die zich [opnieuw] in volle hevigheid gelden, toen er in Rusland een communistische revolutie uitbrak en de Verenigde Staten zich in de oorlog mengden, hetgeen het einde betekende voor het Europese imperialisme. De verdragen waarmee een einde kwam aan de Eerste Wereldoorlog, waren een ongemakkelijk compromis, en ze hebben nooit veel rechtsgeldigheid gehad, noch in morele zin, noch feitelijk.

Er werd in Parijs onderhandeld over de vrede, en het verdrag werd in juni 1919 ondertekend in Versailles. Daarmee kwam er een einde aan de oorlog, maar het was ook een oefening in illusies. Zoals een Fransman het zei: het ging er hard aan toe, maar eigenlijk nog te zacht. De situatie in 1919 was gekunsteld. Duitsland en Rusland waren van het toneel verwijderd, en Groot-Brittannië en Frankrijk leken de wet voor te schrijven in Europa. Ze vestigden met behulp van de Amerikanen nieuwe staten in het oosten en in verband daarmee ook in het Midden-Oosten. Er was een groot Polen, groter dan nu, dat zich helemaal uitstrekte in wat voorheen West-Rusland was. De bevolking bestond voor slechts twee derde deel uit Polen, waaronder drie miljoen Joden, tien procent van de bevolking. Dan waren daar Tsjecho-Slowakije en Joegoslavië, multinationale staten met als uitgangspunt Franse steun aan de dominante bevolkingsgroepen, de Tsjechen en de Serviërs. En dan was er nog een groter Roemenië, wat de samenstelling van de nationaliteiten betrof vergelijkbaar met Polen. Er werden nieuwe staten bedacht, verdeeld over Ottomaans grondgebied: Irak werd snel in elkaar geflanst uit de drie Ottomaanse provincies Mosul (Koerden, Turkmenen), Basra (sjiitische Arabieren) en Bagdad (orthodoxe soennieten); Syrië en Libanon – alleen zinvol als die landen samen zouden gaan met Irak, anders niet echt; Palestina, het toekomstige Israël, waar zionisten en Arabieren al in 1926 met elkaar op de vuist gingen; Saudi-Arabië, waar het religieus fanatisme snel om zich heen greep. Terugblikkend in 2012 – meer dan een eeuw nadat de Italianen in 1911 het Ottomaanse Libië binnentrokken en daarmee het signaal gaven voor de Eerste Wereldoorlog – is het bijzonder om te zien dat de enige van deze staten die echt werkte, het moderne Turkije was (daar zou je met wat literaire flair misschien ook Ierland bij kunnen nemen, in zoverre dit land ook een naoorlogse creatie is). Het 'zelfbeschikkingsrecht der volkeren', zoals vastgelegd in de Vrede van Versailles, werkte niet. Het door de overwinnaars toegejuichte parlementaire bestuur ook niet. Gewichtig stelde men wetten op, en er werden verkiezingen gehouden. (In de 'Zuidwestelijke Kaukasische Republiek', die kortstondig tot Noordoost-Turkije behoorde, mochten de kiezers een steen in één van twee blikken trommels gooien, onder het toeziend oog van het Turkse leger.) Duitsland kreeg, met dank aan een groep professoren en andere hoogwaardigheidsbekleders die in Weimar bijeenkwamen, een grondwet met een onberispelijk democratisch karakter. Het referendum werd ingevoerd, er kwamen evenredige vertegenwoordiging, vrouwenkiesrecht, de deelstaten (verreweg de grootste was Pruisen) kregen hun eigen verkiezingen en parlement. Het parlementaire systeem hield moeizaam stand tot 1929, toen stortte de wereldeconomie ineen.

Hoe de 'Grote Depressie' kon ontstaan, is de belangrijkste vraag van de twintigste eeuw. Het 'kapitalisme', zoals wij het moeten noemen, was een groot succes geweest. Het westen kreeg daardoor de fatale illusie superieur te zijn, wat leidde tot het ontstaan van deze 'haastig in elkaar geflanste, waardeloze wereldrijken' (uitdrukking van Jack Gallagher in zijn boek *New Cambridge Modern History*). Een deel van deze succesformule was wat de econoom Joseph Schumpeter 'creatieve destructie' noemde: de conjunctuurcyclus, waarin de luiaards en de hedonisten ten onder gingen en hun have en goed voor een koopje werden overgenomen door actievere concurrenten. In de jaren zeventig van de negentiende eeuw waren de Italiaanse banken bijvoorbeeld haast een lachertje, omdat ze elke transactie tegen het licht hielden en slechts zeer terughoudend krediet verstrekten: deze passieve banken werden overgenomen door Duitse Joden met een vooruitziende blik, die op de lange termijn investeerden in waterkracht. De overnames zorgden voor veel ressentiment onder de verliezers. In 1929 werd het proces echter vernietigend destructief: de Amerikanen trokken hun geld terug uit het systeem, de Duitse mark stortte ineen, het Britse pond volgde, de wereldhandel kromp met twee derde, en Frankrijk kreeg tot 1938 te maken met wat bekend kwam te staan als 'negatieve groei'. Dit was een ramp, daarmee vergeleken stellen de problemen van nu (2012) niets voor, hoewel de vergelijking weleens wordt gemaakt. In de Verenigde Staten waren vijfentwintig miljoen mensen werkloos, in Duitsland waren dat er zes miljoen. Zelfs toen was dat een vertekend beeld, omdat er veel meer Duitse vrouwen werkloos waren dan er mee werden geteld. Het probleem werd pas opgelost door het land te herbewapenen. Geen wonder dat een groot deel van de intelligentsia opschoof naar links. Toch was de crisis feitelijk het resultaat van de oorlogsschulden, meer in het algemeen van de nerveuze, pessimistische sfeer die de oorlog had gecreeerd. Dat, en de onervarenheid van de Verenigde Staten met hun nieuwe rol als wereldmacht, ging samen met de technologische veranderingen waardoor mankracht werd vervangen door machines. De crisis die daarop volgde, was feitelijk echter niet zozeer een volledig foute inschatting van het 'kapitalisme' op zich, maar een gevolg van de Eerste Wereldoorlog.

Door de crisis werden ook de parlementaire regeringen uit het zadel gewipt. De Weimarrepubliek was van meet af aan zwak, een mooiweersysteem, waarin het democratische bestuur afhankelijk was van coalities. In 1929 kwam er een vijfpartijencoalitie, die in maart 1930 bij de eerste tekenen van economische neergang in elkaar stortte: de rechtse liberalen vonden dat de werklozen meer voor hun verzekering moesten betalen, de gematigde socialisten beweerden dat de werkgevers meer moesten betalen. Onenigheid over een kwart procent bracht de regering ten val, hoewel er natuurlijk meer aan de hand was. Vanaf dat moment had geen regering nog de meerderheid in de Rijksdag, tot Hitlers aantreden in januari 1933. In Oostenrijk, Polen, Roemenië en Griekenland namen hele en halve dictators het roer over; Spanje kreeg van 1936 tot 1939 te maken met een burgeroorlog. (Hun caudillo, dictator Francisco Franco, was er trots op dat hij elke dag tijdens de rit van het paleis El Pardo naar zijn kantoor in hartje Madrid op de achterbank van zijn auto minstens drieduizend doodvonnissen tekende.) Slechts twee landen ten oosten van de Rijn handhaafden de beschavingsnormen: Tsjecho-Slowakije, als rechtsstaat opgericht langs de lijnen van de oude liberale Habsburgse monarchie; en het conservatieve Hongarije, waar nog de normen en waarden heersten van de ouderwetse aristocratie. In 1922 had Mussolini een triomfantelijke overwinning behaald in een soort kostuumrepetitie voor het fascisme van de jaren dertig. In 1920 was de Italiaanse economie ineengestort, en er volgden twee jaar van bijna-anarchie. Het Italiaanse fascisme kwam voort uit het officierenkorps dat had gediend in de Eerste Wereldoorlog. Het waren mannen die slechts een weg vooruit zagen met behulp van een soort fatsoenlijke 'beschermingsorgani-satie', een voorbeeld dat Hitler later volgde. Die 'beschermings-organisatie' was opvallend succesvol. Tegen 1936 was de Duitse werkloosheid, om welke reden dan ook, gedaald tot een miljoen, en hoewel de levensstandaard spartaans was in vergelijking met die van de Britten, liep de economie weer en voelde iedereen dat er een nieuwe, zelfbewuste geest heerste (waar de meeste Britten instinctief een afkeer van hadden).

Adolf Hitler was echter feitelijk het resultaat van een vacu-um, dat hem de [noodzakelijke] argumenten verschafte. Het na-oorlogse akkoord zou ondertekend moeten worden door een Vol-kenbond in Genève, maar eigenlijk was het slechts een kwestie van tijd dat Duitsland zich nogmaals zou doen gelden. De vraag was dan: wat voor Duitsland? Er moest een fatsoenlijke Duitse staat komen, maar met name de Fransen deden alles om dat te ondermijnen. Ze weigerden in 1931 zelfs om samen te werken met de Britten om de Duitse economie aan de praat te houden. De lijst met overbodige fouten is oneindig lang. De democratie van de Weimarrepubliek was veranderd in een presidentiële rege-ring per decreet: de Rijksdag functioneerde niet meer. De gouden standaard, het symbool van de internationale financiële- en han-delsorde, werd een last die leidde tot deflatie en die alles onder-drukte, behalve de eigendunk van de centrale bankiers. De Duit-sers hadden zich eraan gecommitteerd, deels om te voldoen aan de herstelbetalingen die hun waren opgelegd met de Vrede van Versailles. Het was echter een recept voor massawerkloosheid. De Volkenbond, de Maginotlinie, de Kleine Entente (een militair bondgenootschap tussen Tsjecho-Slowakije, Roemenië en Joego-slavië, maar zonder Polen): ze bestonden alleen maar fictief, en waren nog gevaarlijk ook, want er werd een heel ambtenarenap-paraat voor opgetuigd om ze geloofwaardig te houden. Het eer-ste honderdtal pagina's van *Origins of the Second World War*, geschreven door A.J.P. Taylor, zijn het klassieke relaas hiervan. Natuurlijk werd men in het interbellum achtervolgd door herinneringen aan de Eerste Wereldoorlog. Met name Frankrijk was ernstig verzwakt, en hield alleen de schijn op. In *Dood op krediet* van Louis-Ferdinand Céline staan nauwkeurig de ellendige levens in een of andere volksbuurt beschreven. Het boek is te vergelijken met *Coming Up for Air* van George Orwell, maar dan de bittere versie. Het probleem was, dat de westerse mogendheden Hitler wel toestonden wat ze Gustav Stresemann – de liberale staatsman uit de Weimarrepubliek, die in 1929 overleed – geweigerd hadden. Hitler wilde Duitsland er weer bovenop helpen door in het oosten een rijk te verwerven, vergelijkbaar met het achterland van de Amerikanen en de Britten. Hij merkte dat als hij dreigde met geweld en riep dat hij over een vernietigend leger beschikte, het westen toegaf en hem misschien wel zou helpen als hij zijn blik op het oosten richtte. Daar zou, ten koste van die verachte Slaven, het Duitse rijk worden opgebouwd.

Dat leidde dus tot de Tweede Wereldoorlog, met Hitler als hoeder van de Duitse belangen. Hij was erg populair geworden, omdat hij zich triomfantelijk een weg had gebaand door het web van onwaarheden en hypocrisie waar de Vrede van Versailles voor stond. Hij had ervoor gezorgd dat de Duitse economie weer opbloeide; miljoenen Duitsers vonden hem een begenadigd en een fascinerende spreker; de Duitsers werden niet langer vernederd en tot armoede gebracht door dat wraakzuchtige Frankrijk. In de loop van dit alles dreef hij echter wel met name de Britten tot grote woede. In de zomer van 1939 meende hij Pools grondgebied te kunnen inpikken zonder dat de Britten zich daarin zouden mengen. Hij sloot toen onverwachts een transactie met Stalin. De Britten konden nu niets voor Polen doen, en ze zouden dat vast ook niet proberen. Hitler maakte echter een misrekening: de Britse politieke klassen kwamen in opstand, en er volgde een ultimatum. Dat liep uiteindelijk ook uit op een oorlog van Groot-Brittannië, Rusland en de Verenigde Staten tegen Duitsland. Een hernieuwde strijd, deze keer zelfs met nog vernietigender wapens en – dankzij de tank en het vliegtuig – een vele malen grotere mobiliteit op het slagveld dan in 1918. Zes jaar later was de oorlog voorbij en lag Centraal-Europa onwezenlijk in puin. Op de Nederlands-Duitse grens stond een bord met de mededeling: 'Hier eindigt de beschaving.' Maar uiteindelijk gingen de zaken erop vooruit: het Duitse probleem werd opgelost, Duitsland werd in veel opzichten een modelstaat, de Amerikanen namen de verantwoordelijkheid die ze in 1919 hadden geweigerd, en de oorlogen lijken tot een onvoorstelbaar verleden te behoren.

Het jaar 1945 was het soort gedenkwaardige moment waarop het ene tijdperk overgaat in het andere. Tot dat jaar werd de wereld gerund door de Europese rijken. Mijn eerste – inmiddels verouderde – schoolboeken leerden me in 1950 wat voor goeds de Britten allemaal wel niet hadden gedaan in Brits-Indië dat, evenals ruim een kwart van de wereldbol, Brits rood was gekleurd. Winston Churchill – de grote aristocraat, geboren (in 1874) in het tijdperk van de Victoriaanse zekerheden, toen er bovendien nog geen elektriciteit was (het eerste elektrisch verlichte landhuis was dat van Lord Salisbury, Hatfield, in 1880) – werd gezien als ouderwets. Hetzelfde gold voor zijn historische rivaal, Adolf Hitler, maar die was op een andere manier ouderwets. Hitler werd in 1889 geboren op de Oostenrijks-Duitse grens, en toen hij tiener was, verspreidde het gebruik van elektriciteit – die miraculeuze energiebron – zich en ontstonden er eindeloos veel nieuwe mogelijkheden voor de bouw, het vervoer, de geneeskunde en de radio. Hitler had later een fascinatie voor machines, meer nog dan Churchill, die met name geïnteresseerd was in de militaire aspecten daarvan. In de grensstreek tussen Oostenrijk en Duitsland heerste er veel wrok tegen de tirannie van de katholieke kerk, die ooit met veel geweld de protestanten had onderdrukt, en Hitler groeide op met een intense afkeer van de christelijke ethiek. Dat dreef hem in zijn jonge jaren, en met hem veel anderen, veel meer dan de Jodenhaat. Die pikte hij (volgens Brigitte Hamann, een uitstekende historica die het oorspronkelijke bewijsmateriaal bestudeerde) pas veel later op, en hij achtervolgde zelfs een al wat ouder Joods stel uit Wenen dat hem vroeger hielp als hij tijdens de verkoop van zijn aquarellen aan toeristen, onderdak zocht in hun winkel als het regende. Adolf Hitlers type nationalisme – gebaseerd op de technologie, de 'Triumph des Willens' (triomf van de wil) en het uitroeien van de zwakken – waren in 1945 ook ouderwets. Tijdens de zwarte klucht in zijn schuilplaats, ver onder de grond in de tuinen van de Rijksdag, moest hij een voor een zijn ideeën over het oude Europa prijsgeven – een proces dat schitterend werd vastgelegd in de Duitse film *Der Untergang*. Churchill overkwam hetzelfde tijdens zijn laatste premierschap, dat begon in 1951 en een mix was van mottenballen en alcohol. In 1945 was het, na de symbolische daverende klap als gevolg van de atoombommen op Hiroshima en Nagasaki, tijd voor een nieuwe wereld.

Veel later, toen ik Duitsland leerde kennen en las over de geschiedenis van het land, ontmoette ik toevallig een paar mensen die deel hadden uitgemaakt van Hitlers oorlogsmachine. De opmerkelijkste was, denk ik, Albert Speer. In 1981 maakte ik voor de BBC-televisie een programma over Hitler en de kunst. We vroegen Speer, Hitlers belangrijkste architect en minister van Bewapening tijdens de oorlog, voor een interview. Hij was inmiddels zesenzeventig en had twintig jaar gevangenisstraf achter de rug, maar tot onze verrassing stemde hij toe. Het was een weekend in de vakantie en in die dagen ging in Londen alles dicht. Ik moest hem meenemen naar het restaurant van het Brown's Hotel, waar hij vertelde over het Derde Rijk. Het verbaasde me dat hij niet bekend was met een van de belangrijkste feiten over de nazistemmers, namelijk dat er veel meer protestanten op de partij stemden dan katholieken. (Beieren had de reputatie, maar dat kwam vooral doordat een derde van de stemgerechtigden protestants was.) Ik denk dat hij gewoon niet geïnteresseerd was in religie. Ik was ook verbaasd – dat had ik niet moeten zijn – dat hij het Britse bombardement op de Duitse steden verdedigde, en wel met als reden dat een groot deel van de Duitse inspanningen bij de gevechten aan de fronten werden weggehaald, voor de verdediging van het vaderland. Het was op de een of andere manier een enorm trieste avond, maar de volgende dag deden we ons interview en hij was goed, hoewel hij het waarschijnlijk allemaal al eens had verteld. Vervolgens liep hij in opperbeste stemming en bewonderd door alle vrouwen daar, terug naar zijn hotel en ging dood.

Een van mijn andere vreemde contacten met het Derde Rijk was dat met de zoon van Josef Mengele, die afschuwelijke dokter die in Auschwitz genetische experimenten deed met levende mensen en over wie gezegd wordt dat hij op het perron stond terwijl de Joden uit de veewagons vielen, waarna hij hen verdeelde in een groep mensen die kon werken en een groep die meteen naar de gaskamers moest worden gestuurd. Hij vertrok op het laatste moment uit Auschwitz, met een doos oogballen en huidmonsters die hij aan zijn professor in Frankfurt wilde laten zien. Die raakte natuurlijk in paniek en wees hem de deur. Mengele stierf in 1979 in Brazilië, en zijn familie bracht zijn verhaal in de openbaarheid. Ik interviewde zijn zoon, een sympathieke man, rechtdoorzee, opgevoed door zijn nette sociaaldemocratische stiefvader. Pas op zijn zestiende kreeg hij te horen wie zijn echte vader was. Hij was naar Brazilië gevlogen om de man te ontmoeten, maar ze konden het absoluut niet met elkaar vinden. Mengele was een gemene, vervelende man en woonde samen met een Duitse vluchtelinge uit Roemenië, met wie hij voortdurend ruzie had over kleine bedragen aan inflatie onderhevige cruzeiro's. Hij schreef een roman in houterige stijl over zijn vlucht uit het naoorlogse Duitsland: als je door Zuid-Tirol naar Genua ging, kreeg je daar van het Rode Kruis een paspoort voor Argentinië, waar Mengele onder zijn eigen naam een zaak begon. Zijn zoon vertelde dat toen de universiteit waar Mengele gepromoveerd was hem zijn doctoraat ontnam, er protesten kwamen van mensen die in Auschwitz met hem hadden samengewerkt, en dat is best aannemelijk.

De eugenetica, 'onderzoek naar rasverbetering', was niet alleen een specialiteit van de nazi's. In de vooruitstrevende wereld van 1910 vond dit onderzoek overal plaats in de westerse wereld. In Zweden werden tot de jaren zeventig Laplanders gesteriliseerd, omdat ze minder waren en zich niet mochten voortplanten. Als je kijkt naar de talenten van Speer en de doelen van Mengele, kun je zien waar Churchill op uit was toen hij in 1940 zei:

> Hitler weet dat hij ons op dit eiland zal moeten breken of de oorlog verliezen. Als we tegen hem kunnen opstaan, kan Europa zich bevrijden en wachten ons brede, zonnige hooglanden voor het leven op deze planeet. Maar als we falen, zal de hele wereld, inclusief de Verenigde Staten, inclusief alles wat we gekend hebben en wat ons dierbaar is, wegzinken in de afgrond van een nieuw Duister Tijdperk, dat door de inzet van geperverteerde wetenschap nog sinisterder wordt en misschien nog langer zal duren. Laten we ons daarom voorbereiden op onze taak en ons zo gedragen, dat als het Britse Rijk en het Britse Gemenebest duizend jaar blijven bestaan, de mensen zullen zeggen: 'Dit was hun mooiste tijd.'

In 1940 was het niet verstandig om verzet te bieden of, zo je wilt, in 1939 om de oorlog uit te roepen, maar mensen reageerden niet

rationeel op Hitler. Diep vanbinnen wisten ze dat er weer een wereldoorlog aan kwam, en slimme kerels in Groot-Brittannië wisten dat ze het best maar konden leren vliegen, zoals mijn eigen
vader deed in 1936, toen hij nog aan de universiteit van Glasgow
rechten studeerde. Hij nam met het City of Glasgow 602 Squa-
dron deel aan de Slag om Engeland, maar werd eruit gehaald om
piloten op te leiden, waar vreselijk veel behoefte aan was. Volgens
historicus Max Hastings had de Royal Air Force (RAF) niet genoeg
personeel om de vliegtuigen goed te onderhouden. Dat van mijn
vader stortte in februari 1942 neer boven Wales – ik heb het kom-
pas nog. Maar het was een goede wereld, en de officieren legden
geld bij elkaar om ervoor te zorgen dat ik naar Glasgow Academy
kon. Ik ben hun heel veel dank verschuldigd, en daarom draag ik
dit boek op aan hen.

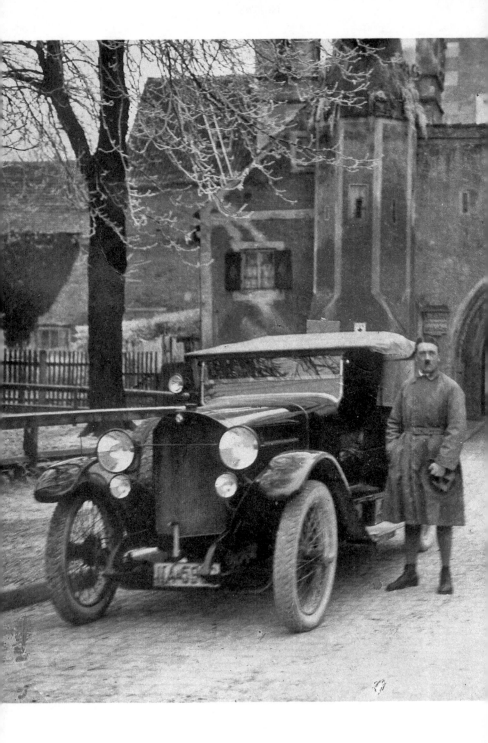

Hoofdstuk 1

Het interbellum

*'Dit is geen vredesverdrag,
dit is een wapenstilstand
die twintig jaar gaat duren'*

*Adolf Hitler na zijn vrijlating uit de
gevangenis, kort voor Kerstmis 1924.
De Mercedes was niet van hem.*

Aan het einde van de Eerste Wereldoorlog lag Adolf Hitler, toen negenentwintig en korporaal, in een militair hospitaal in Noord-Duitsland. Hij was herstellende van een gasaanval die hem tijdelijk blind had gemaakt, en het nieuws dat Duitsland de oorlog verloren had, kwam bij hem aan als een schok. Het land had vierenhalf jaar lang tegen de wereld gevochten, bijna gewonnen, en hield nog steeds een groot deel van West-Europa en Rusland bezet. In november 1918 kwam toch onverwacht de ineenstorting. Dronken zeelieden en vechtende stakers sprongen uit de band, en het rijksbestuur raakte in paniek, sloeg op de vlucht en gaf de beker door aan de nieuwe machthebbers – links plus bondgenoten – die op 11 november een wapenstilstand bereikten. Hitler weende naar eigen zeggen bittere tranen. Ze hadden de oorlog moeten winnen, en dat zou volgens hem ook gelukt zijn als die onbenullen uit de hogere kringen het niet voor het zeggen hadden, die verraderlijke Joden, de linkse partijen en de sentimentele geleerden die de oorlogsinspanningen hadden ondermijnd. Alles was tevergeefs geweest. De troepen moesten terug naar de Rijn en West-Rusland opgeven, waar de macht werd overgenomen door de communisten.

Niet alleen Hitler weende bittere tranen, want met de wapenstilstand in november kwam er geen einde aan het lijden. De Britten hadden Duitsland een blokkade opgelegd, en de mensen in de steden kwamen om van de honger. Die blokkade ging door, en in Wenen kregen de kinderen rachitis – een ziekte als gevolg van vitaminegebrek dat leidt tot X-benen of O-benen. Vervolgens bezetten de geallieerden het Rijnland – de zone ten westen van de Rijn en de bruggenhoofden op de oostelijke oevers – waarbij met name de Fransen geenszins bereid waren om de boel te vergeven en te vergeten. Ze eisten heel hoge schadevergoedingen, die ze hypocriet 'herstelbetalingen' noemden. De hoogte van dat bedrag was 132 miljard goudmark, en de laatste betalingen (in de jaren twintig van de vorige eeuw werd een begin gemaakt met de betaling van de in eerste instantie afgesproken bedragen) zouden pas in 2010 plaatsvinden. Deze betalingen waren bedoeld om de Duitse economie in te perken en op die manier te voorkomen dat het land zich niet zou herbewapenen of er alleen al bovenop kwam.

De daaropvolgende twee decennia raakte Centraal-Europa verbitterd door de herinnering aan de periode direct na de oorlog. De geallieerde overwinnaars kwamen in 1919 bijeen in Parijs om een aantal vredesverdragen op te stellen. Het is al vaak gezegd: de sfeer was nukkig. Een moraliserende Amerikaanse president, Woodrow Wilson, was uit op een nieuwe wereldorde, en even kreeg hij de handen stevig op elkaar bij de juichende menigten. Amerika beschikte inmiddels over het geld, en de geallieerden waren het land enorme bedragen schuldig. Daardoor waren de Verenigde Staten meer dan ooit tevoren in de positie de wereld vorm te geven naar eigen inzicht. Alles bij elkaar slaagden de Amerikanen daar toen niet in, zoals ze dat wel deden na de Tweede Wereldoorlog, met het Marshallplan. Met dit plan en aanvullende hulp namen ze de leiding bij het bevorderen van het herstel. Ze stelden dollars beschikbaar voor de internationale handel, moedigden de Europeanen aan hun protectionisme te laten varen en zorgden op die manier voor een welvaartsgolf die door de Fransen 'de dertig glorieuze jaren' werd genoemd. (Halverwege de jaren zeventig kwam daar door de oliecrisis en stagflatie een einde aan.) Als de overwinnaars van 1918 op het officiële portret met veel bluf en zelfvoldaanheid toekijken hoe de boze Duitse vertegenwoordiger Ulrich von Brockdorff-Rantzau tekent op het stippellijntje, zien ze eruit als een karikaturale versie van Mount Rushmore. De Britten hadden nog eens miljoenen vierkante kilometers grondgebied aan hun inmiddels enorme wereldrijk toegevoegd, met name in het voormalige Turkse

Midden-Oosten, en namen de Duitse schepen in beslag die een bedreiging vormden voor hun handel. De Fransen pikten ook een stukje in van het Midden-Oosten en hadden het vooruitzicht op generaties lange herstelbetalingen. Aan de andere kant waren de Amerikanen verdeeld over de vraag of ze wel of niet betrokken wilden raken bij de problemen van de Oude Wereld. President Wilson had een droombeeld waarin de Eerste Wereldoorlog een einde maakte aan alle oorlog. Hij preekte de democratie en het zelfbeschikkingsrecht van landen. De Amerikaanse democratie bestaat echter uit drie vertegenwoordigende lichamen: de Senaat, het Huis van Afgevaardigden en het Congres, en de Senaat wilde geen verantwoordelijkheid nemen voor het afdwingen van de naleving van de voorwaarden van het verdrag. De Amerikanen – in elk geval de Republikeinse senatoren – wilden zelfs niet toetreden tot de voorloper van de Verenigde Naties, de Volkenbond, speciaal in het leven geroepen om president Wilson een podium te bieden waar hij over alles en iedereen kon moraliseren. Een Franse generaal zag wat er gebeurde en zei: 'Dit is geen vredesverdrag, dit is een wapenstilstand die twintig jaar gaat duren.' De man had gelijk.

Het lastigste punt in het vredesverdrag was het feit dat de Duitsers moesten meewerken aan de uitvoering ervan. De Duitsers deden er in november 1918 alles aan wat ze konden om zichzelf te presenteren als een parlementaire democratie om daarmee de sympathie van de Amerikanen in de wacht te slepen. Ze ontdeden zich van de Kaiser en in februari, vóór de ondertekening van het verdrag (in juni 1919), werd er een republikeinse grondwet aangenomen in Weimar. Het was een prozaïsch document, typisch Duits, waarin van alles en nog wat werd vastgelegd: eindeloze verkiezingen op alle niveaus; evenredige vertegenwoordiging; vrouwenkiesrecht (de Fransen hadden dat niet); afspraken om te komen tot een federatie; de bepalingen voor een referendum, dat kon worden gehouden als er genoeg handtekeningen waren verzameld. Natuurlijk raakte het parlement dat hieruit voortkwam, de Rijksdag, soms verlamd als het ging om een belangrijk onderwerp, waarna de president heerste per decreet. Coalities waren wankel en raakten in diskrediet wanneer het er te veel op leek dat het verdrag zou worden naleefd. Uiteindelijk zagen de Fransen in dat ze niet konden blijven vasthouden aan het maximale bedrag aan herstelbetalingen, waarna de Amerikanen zich toch met de zaak bemoeiden en Duitsland een lening aanboden. Een paar jaar lang heerste er een situatie die Warren Harding, de opvolger van de Amerikaanse president Wilson, vergeleken met die in zijn eigen land 'een normaliteit' noemde.

Hitler had begin jaren twintig in heel Duitsland de reputatie van een rechtse volksmenner. Het leger gebruikte hem als spion in München, waar hij even langskwam bij de bijeenkomst van een groepje dat de Nationale (d.w.z. 'anti-buitenlands') Socialistische (d.w.z. 'stelende') Duitse (d.w.z. 'antisemitische') Arbeiderspartij (d.w.z. 'partij van de lage middenklasse') heette. Daar ontdekte hij waar hij heel goed in was: spreken in het openbaar. Duitsers waren daar over het algemeen niet goed in, ze gebruikten nogal bombastische taal of leken te preken. Hitler was een volleerd artiest, een uitstekend acteur, en zijn taalgebruik was grappig op een manier die voor buitenlanders niet te vertalen was. (Sigmund Freud, Karl Kraus, Franz Werfel – ook Oostenrijkers dus – en Franz Kafka, afkomstig uit Praag, hadden dezelfde neiging.) Hij kwam ook op het idee van het antisemitisme – een populair onderwerp in bepaalde wijken, gezien het feit dat een aantal Joden de economische malaise beter had doorstaan dan sommige Duitsers en Oostenrijkers, sterk vertegenwoordigd waren in de financiële wereld en de liberale media en moderne kunstgalerieën runden waarin het soort schilderkunst werd gepromoot dat Hitler – die zichzelf een kunstenaar vond – verafschuwde. Hitler sprak zich uit voor een vergeldingsoorlog en een nationalistische regering die gewoon een einde zou maken aan de corrupte parlementen. Zijn voorbeeld zat in Italië: Benito Mussolini, een journalist die dacht in krantenkoppen, richtte een fascistische partij op (de naam refereerde oorspronkelijk aan antikapitalistische rebellen van het boerenplatteland van Sicilië in de late negentiende eeuw) en greep in 1922 de macht. Duitsland was pas in 1923 zover, toen Hitler daar ook probeerde de macht te grijpen – maar zelfs de manschappen van zijn eigen regiment distantieerden zich daarvan. Hij kreeg een paar maanden gevangenisstraf, die hij gebruikte om een boek te dicteren, *Mein Kampf.* Daarin stelde hij vast wat er aan de hand was met Duitsland en hoe dat moest worden aangepakt. Voorkomen moest worden dat nog eens de fout werd gemaakt van een oorlog op twee fronten. Rusland was de echte vijand en dat betekende dat er levensruimte, *Lebensraum*, en ruwe grondstoffen in het oosten moesten worden veroverd. De communisten waren Joden, schreef hij: zij ondermijnden alles. Toen het nog goed ging met de Weimarrepubliek, had hij geen succes en maakten de Beierse bisschoppen bezwaar tegen zijn antisemitisme, omdat dit slecht was voor het toerisme. Hitler had slechts een marginale positie, men vond hem zelfs lachwekkend.

In 1929 begon het tij echter te keren in het voordeel van Hitler. Dat jaar begon de wereldwijde economische crisis, die de val veroorzaakte van de laatste echte parlementaire regering van Duitsland. De Duitsers gaven de buitenlanders de schuld van hun benarde toestand, en beschuldigden de Joden ervan dat ze hun geld naar het buitenland sluisden. De mark kwam onder druk te staan en was niet langer inwisselbaar. Reizigers werden aan de grens gefouilleerd, en zelfs prinses Schönburg, die naar Londen reisde, moest derde klas reizen wegens gebrek aan deviezen. Twee derde van de handel stortte in, en aangezien Duitsland afhankelijk was van de export, waren er al snel acht miljoen Duitsers werkloos. Tijdens de federale verkiezingen van 1932 stemde zevenendertig procent van de Duitsers op de nazi's, tweeëntwintig procent op de sociaaldemocraten en veertien procent op de communisten. De Rijksdag had geen enkele macht en kreeg alleen de meerderheid van stemmen om zichzelf op te heffen. (De enige andere stemming die erdoorheen kwam, was het – zeer breed gedragen – voorstel om getrouwde vrouwen te beroven van hun ontslagbescherming in de ambtelijke dienst.) Het was een moorddadige puinhoop in Berlijn. In een sfeer van bitterheid en haat werd Hitler in januari 1933 kanselier, als resultaat van een deal met de conservatieven.

De eerste belangrijke vergadering van de nieuwe kanselier was met zijn generaals. Hij vertelde hun dat hij het land wilde herbewapenen. Dat zou de Duitse industrie iets te doen geven en een aantal werklozen weer aan het werk helpen. Het was weliswaar in strijd met het Verdrag van Versailles, maar Hitler ging ervan uit dat er geen reactie zou komen van de westerse mogendheden. Hij was al heel lang zeer enthousiast over vliegtuigen en auto's, de twee belangrijkste symbolen van de moderne tijd, en zij konden zonder meer omgebouwd worden tot oorlogsvliegtuigen en tanks. Het duurde niet lang of hij ging opscheppen over hoeveel hij er wel niet had, waarbij hij de aantallen sterk overdreef (die overigens wel werden geloofd in Londen en Parijs). Zijn generaals dachten intussen hard na over de vraag hoe de wapens konden worden ingezet. Daarbij kwamen de lessen uit 1918 om de hoek kijken, want de Britten en Fransen wonnen toen hun laatste veldslagen door het gebruik van een combinatie van tanks en vliegtuigen. Het herbewapeningsprogramma ging van start, en de Duitse vliegtuigindustrie begon bijvoorbeeld met slechts drieduizend werknemers aan de bouw van een paar dozijn vliegtuigen. De vliegtuigbouw groeide uit tot een enorme industrie, waar in 1939 zo'n tweehonderdvijftigduizend mensen in werkzaam waren, met een productiecapaciteit van drieduizend vliegtuigen per jaar. Deze opleving (naast die in de landbouw) zorgde ervoor dat Duitsland in 1936 weer volledige werkgelegenheid had. Hitler werd enorm populair. Er waren natuurlijk al tekenen van de verschrikkingen die eraan zaten te komen. In 1934 pleegde Hitler [tijdens de Nacht van de Lange Messen] een gewelddadige coup tegen een groep radicale nazi's, die hij dood liet schieten. In 1935 kreeg het antisemitisme een wettelijke basis. Er waren concentratiekampen waar zesduizend mensen gevangenzaten. Het was allemaal echter nogal beperkt, en veel mensen konden nog beweren dat als Hitler meer succes kreeg, zijn bewind wel minder streng zou worden. Zo dacht men er in elk geval met name in Londen over. Het was een idee dat vooral in de hand werd gewerkt door de sfeer tijdens de beroemdste Olympische Spelen ooit, die van augustus 1936 in Berlijn.

Het regime werd echter helemaal niet vriendelijker en zachtaardiger. Het werd steeds wreder, perste de Joden hun geld af en dreef honderdduizenden van hen het land uit. Na hun vertrek waren ze twee derde van hun bezittingen kwijt. Met dit geld werd de herbewapening gefinancierd. In de zomer van 1936 voerde Hitler het herbewapeningsprogramma nog verder op, ter voorbereiding op de defensieve oorlog die vier jaar later van start zou gaan, en op de aanvalsoorlog zeven jaar later. Een van de redenen waarom Hitler koos voor dit zevenjarenprogramma, was dat alles en iedereen afhankelijk was van hem en hij zich zeer bewust was van zijn eigen sterfelijkheid: hij was een neurotische hypochonder. De officiële reden die werd gegeven, was echter dat Sovjet-Rusland snel industrialiseerde door de vijfjarenplannen van Stalin: Hitler wilde de concurrentie aangaan met de USSR en het land overtreffen. Dat was echter een gok: Duitsland had niet voldoende grondstoffen voor een intensieve wapenwedloop, en had ook geen buitenlandse valuta om de olie, rubber en non-ferromaterialen te kunnen kopen die nodig waren om vliegtuigen en ander gemotoriseerd wapentuig te kunnen maken. Er werd een enorm geldverslindend programma gestart om aan synthetische olie en rubber te komen, en er werd een kolossale metaalverwerkende industrie opgezet in het kader van het vierjarenplan onder leiding van Hermann Göring, bevelhebber van de Luftwaffe, de luchtmacht. Het totalitaire karakter van het land werd versterkt, en de geheime politie – afgekort tot 'Gestapo' – fuseerde in 1936 met de SS, het elitekorps van de nazipartij, geleid door Heinrich Himmler.

In die zomer van 1936 waren de omstandigheden rijp voor een beweging voorwaarts van Hitler. De westerse mogendheden waren vervreemd geraakt van Italië. Mussolini had in oktober het jaar daarvoor, in zijn streven naar een wereldrijk, Abessinië (het huidige Ethiopië) geannexeerd. Dat land was lid van de Volkenbond, en deze zet leverde hem de haat op van met name Britse idealisten. In de zomer van 1936 brak er de burgeroorlog uit in Spanje. Daar werd met een slechts half gelukte militaire coup de aanval geopend op het linkse regime dat voortkwam uit discutabele verkiezingen. De Spaanse legerleider, generaal Francisco Franco, liep te koop met het feit dat hij een fascist was, en Frankrijk, dat ook een linkse regering had, zou de Spaanse republiek bij moeten staan. Dat deed het niet, waarop Mussolini zich met soldaten en oorlogsschepen in de strijd mengde. De burgeroorlog duurde drie jaar en werd door Hitler gebruikt als een proeftuin voor luchtbombardementen, en door Stalin, die er behagen in schepte te profiteren van de verdeeldheid onder de West-Europese mogendheden. Hij wilde dat de oorlog doorging, voorzag de republiek van wapens als die aan de verliezende hand leek, en stopte daar vervolgens mee als ze aan de winnende hand leek. Toen anarchisten een echte revolutie probeerden te ontketenen in Barcelona, liet hij hen neerschieten door loyale communisten.

De giftige sfeer van 1936 bleek een ideaal moment voor Hitler om zijn opmars te beginnen. In maart trokken Duitse troepen het Rijnland binnen, het Duitse gebied ten westen van de rivier de Rijn. De Fransen hadden dat willen annexeren, maar dat was hun geweigerd. In plaats daarvan mochten er geen troepen gelegerd zijn en het mocht niet versterkt worden. De Fransen hoefden dus niet bang te zijn voor een invasie, terwijl Duitsland dat juist sterk in overweging nam. De Britten namen in 1936 het voortouw om welke reactie van Frankrijk dan ook te voorkomen. Ze waren van plan Hitler grotendeels tegemoet te komen, om hem er op die manier van af te houden zijn zin door te drijven in andere kwesties: de politiek die bekendstaat als 'verzoeningspolitiek'.

Met de remilitarisatie van het Rijnland door Hitler begon echter ook het aftellen naar de oorlog. Daarnaast was er nog een andere aftelprocedure aan de gang in het Verre Oosten, waar de Verenigde Staten direct bij betrokken waren. Japan had een geschiedenis die merkwaardige overeenkomsten vertoonde met die van een aantal Europese landen: een eilandidentiteit (zoals Engeland) en een militaire kaste (zoals Pruisen). Toen er na de Eerste Wereldoorlog een verdrag werd opgesteld waarin werd vastgelegd hoe groot de verschillende vloten in de Pacific (Grote Oceaan) mochten zijn, lieten de Britten het land in de steek. Vervolgens werd de Japanse handel gediscrimineerd toen in 1930 de mondiale crisis intrad. De reactie van het militaristische regime was de verovering van het industriële deel van China, het noordoostelijke deel van Mantsjoerije, waar Japan in 1931 binnenviel. Het land werd daarop veroordeeld door de Volkenbond, en bleek geen bondgenoten te hebben. Hitler kreeg belangstelling, omdat hij een tegenwicht wilde bieden tegen de Sovjet-Unie, dat toen zijn belangrijkste vijand en doel was. Dus tekenden Duitsland en Japan in november 1936 het Anti-Kominternpact, gericht tegen de Communistische Internationale. Hoewel het bondgenootschap op dat moment nog niet veel voorstelde, had Japan nu wel vrienden in Europa.

Toen gebeurde er echter in juli 1937 iets wat de oorlog in het Verre Oosten ontketende. Het Japanse leger stond vlak voor Beijing, en er was een incident bij de Marco Polobrug, die hen scheidde van het Chinese leger. Een Japanse soldaat raakte vermist aan Chinese kant, waarna er een impasse ontstond. Vervolgens trokken de Japanners verder op en versloegen met gemak de Chinese nationalisten. Die hadden zich de afgelopen tien jaar grote inspanningen getroost, maar waren qua wapens en discipline geen partij voor de Japanners. De situatie werd nog eens bemoeilijkt doordat er nog een ander Chinees leger was, dat van de communisten. Dat bouwde uiteindelijk een bolwerk in Noordwest-China, dicht bij de Sovjet-Russische grens. De nationalisten hadden eerst met hen samengewerkt, maar keerden zich nu tegen hen. De communistische leider Mao Zedong vluchtte naar het platteland en mobiliseerde daar de boeren. Er was sprake van epidemieën en eindeloze wreedheden; China ging in deze strijd ten onder. Het beroemdste bloedbad is dat van Nanjing, eind 1937, toen de Japanners de nationalistische hoofdstad innamen. Het was één grote orgie van verkrachting en moord, die alle waarnemers vervulde met afschuw. Ze konden niet geloven dat de Japanners zich zo konden gedragen.

Er ontstond een ingewikkelde strijd tussen de vier partijen in China: de nationalisten vochten tegen de Japanners; de nationalisten tegen de communisten; de communisten – soms – tegen de Japanners; en in de zomer van 1939 streed de Sovjet-Unie tegen de Japanners, aan de grens met Mantsjoerije. De Amerikanen steunden de nationalisten, maar stonden niet te popelen om betrokken te raken bij de gevechten. En Hitlers steun aan de Japanners was voornamelijk verbaal, hoewel hij de Duitse generaals terugtrok die de nationalisten adviseerden. (Dat waren prominente lieden: Hans von Seeckt, in de jaren twintig verantwoordelijk voor de reorganisatie van het Duitse leger, en Alexander von Falkenhausen, die gouverneur-generaal werd van België.) Hoe dan ook, dit was een factor die de relatie van Duitsland met de rest van de wereld nog gecompliceerder kon maken. Bovendien waren er volkeren die het enorme conflict in China vergeleken met de burgeroorlog in Spanje, een regelrechte strijd tussen goed en kwaad. Japan kreeg steeds vaker een zeer negatieve pers in de Verenigde Staten.

Intussen werd er in Europa zorgvuldig nagedacht over de verzoeningspolitiek. De wrokgevoelens die Hitler aan de macht hadden gebracht, waren oprecht, dat was duidelijk, maar er was een antwoord mogelijk. Er waren miljoenen Duitsers in Polen en Tsjecho-Slowakije, en die hadden nooit gewild dat ze werden ingelijfd bij die landen. Wat betreft de zes miljoen Duitsers in Oostenrijk: toen het Oostenrijks-Hongaarse Rijk in 1918 uiteenviel, kozen hun vertegenwoordigers in het parlement van het keizerrijk voor aansluiting bij Duitsland. (De enige tegenstem kwam van een katholieke bisschop die vond dat Duitsland te protestants was.) De Fransen staken daar een stokje voor en konden zelfs even geen naam bedenken voor het land. Een Fransman, Georges Clemenceau, loste het probleem op door te stellen: 'Oostenrijk is wat nog rest.' De onafhankelijkheid was nogal ongelukkig, omdat het een katholiek land was vol boeren, met een socialistische hoofdstad vol ambtenaren die ooit een keizerrijk hadden bestierd. Dat leidde in 1934 tot een soort burgeroorlog, waarin de artillerie van het leger de huizen van de arbeidersklasse beschoot. Toen Hitler – geboren in Oostenrijk en pas in 1932 Duits staatsburger geworden – succesvol bleek in Duitsland, wilde Oostenrijk zich graag aansluiten bij Duitsland, en de plaatselijke nazi's bleken herriemakers te zijn. Hitler steunde hun zaak door rauwe donderpreken te houden op nazibijeenkomsten waarop

bruinhemden rondmarcheerden onder een lichtshow die in elkaar was gezet door Hitlers favoriete architect, Albert Speer, die
zei de betoverende technieken te danken te hebben aan de film-
kunst in de Weimarrepubliek. Volgens de regering in Londen had
het niet veel zin de Duitsers te dwingen in landen te wonen waar
ze tweederangsburgers waren.

In november 1937 ging de Britse minister van Buitenlandse
Zaken Lord Halifax naar Berlijn en vertelde Hitler dat de Britten
hem niets in de weg zouden leggen als hij voor vreedzame me-
thoden zou kiezen om het vredesverdrag te wijzigen. De Britten
wilden absoluut geen oorlog. Niet alleen waren de herinneringen
aan de slachtpartij in 1916 nog springlevend – in elke school en
universiteit waren er oorlogsmonumenten met daarop eindeloze
rijen namen van de slachtoffers – maar ze kregen op beide helften
van deze aardbol te maken met potentiële vijanden, en ook nog
een opstand in Brits-Indië.

Toen de Oostenrijkse nazi's steeds onrustiger werden, deed
de katholieke kanselier Kurt von Schuschnigg een beroep op Hitler om hen tot bedaren te brengen. Hij had al kandidaten van
Hitler benoemd op belangrijke posten in zijn regering. In februari 1938 reisde hij naar Hitlers toevluchtsoord in Berchtesgaden,
waar hij de volle laag kreeg van Hitler. Die had een paar van zijn
meest gevreesde generaals laten komen en maakte van Schuschnigg een zenuwpees door hem te verbieden te roken. Aanvankelijk accepteerde Schuschnigg Hitlers voorwaarden voor samenwerking – Oostenrijk zou daardoor een satellietstaat worden van
Duitsland – maar op de terugreis naar Wenen veranderde hij van
gedachten. In plaats daarvan wilde hij een referendum houden,
dat hij natuurlijk zou winnen. Hij hoopte dat het westen en Mussolini hem te hulp zouden schieten en zouden redden. Hitler gokte erop dat ze dat niet zouden doen en viel op 14 maart Oostenrijk
binnen. Niemand deed iets. Integendeel: zowel de kardinaal als

Karl Renner, de vroegere socialistische kanselier, verwelkomden de nazi's. Oostenrijk veranderde in een Duitse provincie en de kwart miljoen Joden in Wenen kregen te maken met grove vernederingen, geweld en diefstal. Voorheen had Mussolini Oostenrijk beschermd. Nu deed hij niets, en Hitler vertelde snikkend door de telefoon tegen zijn vertegenwoordiger in Italië dat hij tegen Mussolini moest zeggen dat hij dit nooit, echt nooit zou vergeten – een belofte waar Hitler zich aan hield.

Nu Oostenrijk deel uitmaakte van Duitsland, kwam de druk duidelijk op Tsjecho-Slowakije te liggen, dat een lange en moeilijk te verdedigen grens had. Er woonden drie miljoen Duitsers in Tsjecho-Slowakije, vooral in Sudetenland, vlak bij Duitsland. Hitler zette hen onder zeer grote druk. Tsjecho-Slowakije was, zoals bekend, het enige democratische land ten oosten van de Rijn, de bevolking kon er stemmen. Een meerderheid van de Duitsers stemde voor een nationalistische partij.

Terwijl de nazitirannie zich in de zomer van 1938 over Wenen verspreidde en de Joden eruit werden gegooid, steeg de druk op Praag. Het land Tsjecho-Slowakije was het resultaat van de verdragen na de Eerste Wereldoorlog en vertrouwde op een bondgenootschap met de Fransen, dat in werking zou treden als Duitsland aanviel. Opnieuw namen de Britten het voortouw om ervoor te zorgen dat Frankrijk niets deed. Ze wilden absoluut geen oorlog om een land waar ze, zoals de premier zich beklaagde voor de radio, niets van wisten en nog minder in geïnteresseerd waren. In september 1938 vloog Neville Chamberlain – die man op leeftijd met de paraplu in de hand – op voorstel van Mussolini naar München voor een gesprek met Hitler. De Tsjechen waren niet uitgenodigd, en Tsjecho-Slowakijes andere bondgenoot, de Sovjet-Unie, ook niet. De Britse opinie was zeer verdeeld, maar uiteindelijk gaf Chamberlain Hitler de door Duitsers bewoonde delen van Tsjecho-Slowakije, waar echter ook veel Tsjechen en

Joden woonden. 'München' is sindsdien een ander woord voor schandelijk en laf gedrag. Niettemin was Chamberlain een tijdlang zeer populair; zelfs de Franse premier Édouard Daladier was verbaasd te zien hoe populair het hem maakte dat hij de bondgenoot van zijn land opgaf. In het westen was niemand bereid om opnieuw te vechten, met name in Frankrijk, dat nog geen twintig jaar geleden bijna de helft van de mannen uit de oorlogsgeneratie verloren had, en waar in elke stad en dorp kreupele mannen rondstrompelden die een oorlogspensioen eisten waar het land, gezien het ontbreken van de herstelbetalingen, geen geld voor had. Bovendien was men er wijd en zijd van overtuigd dat een nieuwe oorlog fataal zou zijn, en de vernietiging van de beschaving zou betekenen. Volgens veel experts zouden Londen en Parijs meteen met bommenwerpers in puin worden gegooid. De Britten verwachtten dat er de eerste dag van de oorlog mogelijk vijfendertighonderd ton bommen op Londen zou worden gegooid, en dat er in de eerste zes maanden zeshonderdduizend mensen zouden worden gedood. (In 1940-41 waren dat er negentigduizend over een periode van zeven maanden.) Waarom zouden ze de Duitsers in Tsjecho-Slowakije tegenhouden om zich aan te sluiten bij Duitsland, als ze dat zo graag wilden? In Londen werd er echter ook nog anders geredeneerd. De herbewapening was van start gegaan, en dat ging tamelijk efficiënt: er werden 'schaduwfabrieken' gebouwd die – als het zover was – meteen zouden overgaan tot oorlogsproductie. Ze waren alleen nog niet klaar. Er was ook al een verdedigingsmiddel tegen de bommenwerper: de radar, waarmee snelle jachtvliegtuigen werden geattendeerd op het gevaar. Die konden dan meteen opstijgen om de bommenwerpers aan te vallen. Eerder moesten deze jachtvliegtuigen patrouillerondjes vliegen die heel veel brandstof kostten. (Een jachtvliegtuig kon in die tijd slechts anderhalf uur in de lucht blijven.) Langs de Engelse kustlijn werd een keten van radarstations aangelegd, maar die was ook nog niet klaar. Gezien het feit dat de Duitse slagkracht om te bombarderen behoorlijk overdreven was, wordt de houding van de mannen in München begrijpelijk.

Een opvallende tegenstander van verzoening was Winston Churchill, en zijn 'mooiste tijd' zat eraan te komen. Hij werd geboren in de tijd dat het Victoriaanse rijk op zijn hoogtepunt was, op Blenheim Palace, de historische zetel van zijn eminente voorvader de hertog van Marlborough, die beroemd werd omdat hij Lodewijk XIV verslagen had. Churchill was een imperialist, en hoewel hij in de eerste plaats liberaal was, werd hij later vereenzelvigd met reactionaire kwesties. Hij beleefde de Britse geschiedenis, en genoot ervan dat een derde van de wereldbevolking representant was van het Britse Rijk. Zijn charme, gevatheid, werkijver en zo nu en dan arrogante optreden hadden hem ver gebracht, maar hij stond ook bekend om zijn impulsieve, tegendraadse gedrag. Hij weigerde de Indiërs tegemoet te komen in hun wens tot onafhankelijkheid, met de mededeling dat Brits-Indië 'net zomin een verenigd land was als de evenaar'. Hij vond dat koning Edward VIII toestemming moest krijgen om te trouwen met een twee keer gescheiden Amerikaanse vrouw aan wie iedereen een hekel had, en was er tegenstander van dat de koning aftrad. Churchill was reactionair, en oprechte reactionairen hadden een hekel aan Adolf Hitler, de meest revolutionaire figuur uit de Duitse geschiedenis. Hij waarschuwde bij herhaling dat toegeven aan Hitler ertoe zou leiden dat hij alleen nog maar erger werd. In de tijd van het Verdrag van München had Churchill nog maar weinig medestanders, hoewel die wel duidelijk van zich lieten horen. De gebeurtenissen gaven hem echter gelijk. In de nacht van 9 november 1938, die bekend werd als de *Kristallnacht* (de nacht van de glasscherven), en tot aan de volgende morgen was er in Duitsland en Oostenrijk een hevige uitbraak van geweld tegen de Joden. Winkelruiten werden ingegooid, de straten lagen bezaaid met glasscherven, en synagogen werden in brand gestoken. Er werden eenennegentig Joden gedood, en nog eens duizenden werden bijeengedreven in kampen, waar ze losgeld moesten betalen om te worden vrijgelaten. Twee derde van de Weense Joden (ongeveer honderdtwintigduizend) verliet het land en vertelde gruwelijke verhalen aan de vele Britse families – inclusief de familie Thatcher in Grantham – die hen opnamen. Kennelijk had het Verdrag van München Hitler helemaal niet 'verzoend'. Hij werd steeds agressiever, legde nauwere contacten met Japan en Italië om een soort fascistisch blok te vormen. Hij had beloofd de rest van Tsjecho-Slowakije met rust te laten, maar deed dat niet. In maart 1939 deelde hij het land op en trok Tsjechië binnen. Slowakije – een land van melk en honing en inmiddels onafhankelijk – werd een marionet van Duitsland. De oorlog stond voor de deur...

Er volgde een golf van boosheid in Londen nadat Hitler Tsjecho-Slowakije binnenviel. Weer een belofte van de Duitsers die werd verbroken. Wat de Britten betreft, was maart 1939 het beslissende moment. Ze vertrouwden Hitler nooit meer. De Britten voerden in hoog tempo hun herbewapening op en richtten hun vizier op andere potentiële slachtoffers van de Duitsers. Als eerste zou nu Polen aan de beurt komen, dat was overduidelijk. Eén stad aan de Baltische kust was bijna helemaal Duits: Danzig (tegenwoordig Gdańsk). Dat lag aan de monding van de rivier de Wisla, waarover Polens handel verliep, en was heel rijk door de Poolse graanhandel. In 1919 wilden de Polen de stad annexeren, maar premier Lloyd George schrok terug voor een verdere vernedering van de Duitsers en drong erop aan dat de stad een vrijstaat werd. Vervolgens bouwden de Polen een alternatieve haven, waarna Danzig economisch gezien een achterlijk gat werd. Toen Hitler eenmaal zijn gezag deed gelden, was de reactie van de Duitse bevolking van Danzig een luide roep om aansluiting bij Duitsland. In het voorjaar van 1939 stookte Hitler het vuur nog wat verder op. Memel (het hedendaagse Klaipėda), een havenstad in Litouwen, was op soortgelijke wijze ook Duits, en hij voer ernaartoe om het in te nemen. Vervolgens zei hij tegen de Polen dat hij Danzig wilde hebben. Daarmee begaf hij zich echter op vreemd grondgebied. Polen was te vergelijken met Slowakije, maar dan in het groot: zeer katholiek en niet erg Slavisch. Het was meer anti-Russisch dan iets anders. Het land zat van oudsher echter vast in een zeer streng katholiek nationalisme, en de regering, die zwaar leunde op het leger, was vastbesloten voor zichzelf op te komen en niet hetzelfde lot te moeten ondergaan als de Tsjechen. De Britten gingen daarin mee en boden aan na de vernietiging van Tsjecho-Slowakije Polens grenzen te 'garanderen'. De Poolse minister van Buitenlandse Zaken kolonel Józef Beck, nam een trekje van zijn sigaret en zei ja tegen het voorstel van de Britse diplomatieke vertegenwoordiger. In de zomer van 1939 bleef Hitler maar doorgaan over Danzig, de garantie van de Britten vormde echter een duidelijk obstakel. Het was natuurlijk onverstandig dat ze die hadden gegeven, en toen de Britten zich dat realiseerden, probeerden ze zichzelf eruit te redden. De Polen kregen zo goed als geen financiële hulp, en vervolgens deden de Britten maar wat. Ze gaven alles en iedereen – inclusief Griekenland, Turkije en Roemenië – garanties, waardoor de gegarandeerde munteenheid van de Polen minder waard werd. De minister van Buitenlandse Zaken van Roemenië sloeg overigens alarm. Achteraf gezien lijkt dit alles idioot. Maar Hitler had de wereld krankzinnig gemaakt. Die stem, de wrok die erin doorklonk, het enorme potentieel van het land achter de man: alles helemaal gericht op algehele destructie, althans, zo leek het. Volgens ooggetuigen uit die tijd begon de oorlog met Duitsland al in de zomer van 1939, en sloeg het voorwendsel daarvoor nergens op. Hitler moest gewoon worden gestopt.

Misschien zou Hitler wel even gewacht hebben met Polen, gezien de tegenstand die hij had opgeroepen. Zijn intuïtie was echter opnieuw een betrouwbare gids want, zoals zo vaak gebeurde bij hem, de crisis had inderdaad een gevolg, en het verbaasde de wereld. De Britten en de Fransen stuurden missies naar Moskou, in een poging een overeenkomst te sluiten met de Russen. De Russen spraken met hen over een verbond, maar ze zeiden wel dat hun leger – als het nodig was – op Pools grondgebied moest kunnen opereren. De Polen weigerden dat. De coalitiebesprekingen liepen op niets uit, en toen, ineens, sloot Stalin een pact met Hitler, naar verluidde zijn dodelijke vijand. De Duitse minister van Buitenlandse Zaken Joachim von Ribbentrop vloog op 22 augustus naar Moskou en tekende daar in de zeer vroege uurtjes van 24 augustus het verdrag. Dit was weer zo'n moment tijdens het interbellum waar de eisen op een gevaarlijke en immorele wijze niet in de pas liepen met de werkelijkheid. In 1917 hadden de communisten de macht gegrepen. Ze riepen de broederschap van de arbeidersklasse uit, wonnen een burgeroorlog en stuurden daarna aan op transformatie van het boerenleven in Rusland. De revolutie leidde uiteindelijk alleen maar tot onderdrukking en de hongerdood van miljoenen mensen, en slaagde er alleen in te overleven door parasitaire relaties te onderhouden met het westen. Begin jaren dertig waren het juist de Duitse industriëlen die haar gaande hielden tijdens het eerste vijfjarenplan. Dit plan bepaalde dat er graan werd weggehaald bij de kinderen van de boeren en uit de zaadreserves van de boerderijen, om te worden gevoerd aan Duitse varkens. Acht miljoen Oekraïners stierven, sommige door kannibalisme; in ruil voor het graan arriveerden er Duitse machines in Rusland. Na het aantreden van Hitler werden de economische relaties met Duitsland slechter, maar de Amerikanen namen het over. Honderdduizend man, hoofdzakelijk werkloze ingenieurs, kwam naar Rusland. Vervolgens kwam de Sovjet-Unie op het vreemdste dieptepunt terecht waar ooit een land in terecht is gekomen: driekwart van de hoge officieren en twee derde van het Centrale Comité van de Communistische Partij stond terecht en werd vermoord, een episode die werd gevolgd door angstwekkende massaslachtingen van onschuldige burgers, wier graven pas jaren later werden gevonden. Toch was Stalin de gedoodverfde kampioen van de mondiale arbeidersklasse, de belangrijkste tegenstander van Adolf Hitler. Niemand begreep toen wat er gebeurde, en later deden historici het niet veel beter. De meeste westerse commentatoren van die tijd schreven Stalins staat gewoon af, en beschouwden Polen hoe dan ook als het sterkste land van de twee ('die grote, viriele natie', aldus premier Chamberlain). De Polen waren immers al vanaf 1920 onafhankelijk, toen ze het Sovjet-Russische ('Rode') Leger versloegen. Deze overwinning, samen met de zuiveringen, maakte zeer onduidelijk wat de militaire waarde was van het Russische leger.

Hitler bood Stalin een overeenkomst aan betreffende de verdeling van Polen, en daarnaast ook andere delen van Europa. Stalin was boos omdat hij door de Britten als een soort emir van Buchara werd behandeld, maar stemde toe. Polen zou worden verdeeld tussen Rusland en Duitsland, en de Russen zouden ook in andere gebieden een beslissende stem hebben. Er werden economische afspraken gemaakt: wapens voor Stalin, grondstoffen voor Hitler, waardoor Duitsland de problemen van de blokkade kon omzeilen en zelfs aan rubber, olie, mangaan, wolfram en nog een heleboel andere materialen kon komen. Was de wereld rationeel, dan zou er toen natuurlijk geen Tweede Wereldoorlog zijn geweest. Waren Rusland en Duitsland van plan Polen te verdelen, dan konden de Fransen daar niets aan doen en de Britten nog minder, omdat ze maar een klein leger hadden en hun luchtmacht nog slechts in de opbouwfase was. Maar de wereld was niet rationeel: Hitler maakte iedereen gek. Op 1 september stuurde hij zijn tanks de Poolse grens over. Het Britse Lagerhuis kwam in opstand toen de premier leek te suggereren dat er bemiddeld kon worden. De Fransen – bang dat de Britten, als ze niet akkoord gingen, een overeenkomst met Hitler zouden sluiten ten koste van hen – deden mee. Toen de Britten op 3 september rond negen uur 's ochtends hun ultimatum op tafel legden, stond daar een toevoeging in dat de Franse regering zich binnenkort ook zou aansluiten als het oorlog werd (dat deden ze om vijf uur 's middags).

Hitler zat aan zijn bureau in zijn werkkamer in de nieuwe rijkskanselarij, een kamer van bijna dertig bij veertien meter, met zes grote openslaande ramen die uitkeken op de tuin, een enorme kaartentafel van zeldzaam rood marmer uit Verona, en schilderijen van zijn helden – met name Frederik de Grote en Bismarck – die neerkeken vanaf de muur. Het was een kamer die geschikt was voor een wereldheerser; de rijkskanselarij was inderdaad juist met die intentie gebouwd door Albert Speer. Het was 3 september, en de Britse ambassadeur belde in onberispelijk diplomatiek uniform aan bij het ministerie van Buitenlandse Zaken om een ultimatum te overhandigen, feitelijk een oorlogsverklaring. Hitlers eigen minister van Buitenlandse Zaken, von Ribbentrop, had hem verzekerd dat dit niet zou gebeuren en moest nu bij Hitler aan het bureau komen om diens woedende ondervraging te ondergaan. Hitler zat een paar minuten zwijgend in zijn stoel en vroeg toen boos: 'Wat heeft dit te betekenen?' Ribbentrop had gedacht dat Engeland nooit ten oorlog zou trekken om de bijzondere zaak die nu speelde: vreemd genoeg Danzig. Deze oorlog ging echter niet om Danzig. Hitler had een paar mensen in een hoek gedreven, en die verzetten zich. Deze oorlog ging om de eer – zelfs toen al een ouderwets begrip, maar zo belangrijk was het dus nog wel. Neville Chamberlain was niet een man vol humor en verbeelding, maar had wel door waar het zou eindigen. Hij zei tegen de Amerikaanse ambassadeur Joseph Kennedy (de vader van de latere president), die deze woorden later in zijn dagboek schreef: 'Het zinloze van dit alles is dat het allemaal zo beangstigend is; [we] kunnen de Polen uiteindelijk niet redden; [we] kunnen enkel een wraakoorlog voeren die zal leiden tot de vernietiging van heel Europa.' Spoedig daarop zou Chamberlain vervangen worden door Winston Churchill die, anders dan zijn voorganger, een product was van het leger in de Victoriaanse tijd, en die de uitdaging van de nazi's persoonlijk aannam. Hij was ook het eerste serieuze obstakel dat Hitler tegenkwam. De rest – het Verdrag van Versailles, de Volkenbond, de gouden standaard, de Kleine Entente – kon opzij worden geschoven, maar Churchill niet.

Hoofdstuk 2

De opkomst van Duitsland

De Fransen waren simpelweg geen partij voor de Duitsers

*In oktober 1938 werd Sudetenland 'verbonden'
met Duitsland. De gevoelens waren gemengd...*

De oorlog die in 1939 uitbrak, was een weerklank van de oudere historische conflicten in Europa. Polen was ooit een grote mogendheid, en slimme Polen vroegen zich af waarom het land overvallen werd door Duitsland en Rusland en uiteindelijk vernietigd werd. Frankrijk had het land beschermd, en er was in het verleden om gevochten: Napoleons desastreuze veldtocht naar Moskou in 1812, en op een bepaalde manier zelfs de Frans-Britse aanval op Rusland tijdens de Krimoorlog van 1853-56. Beide conflicten hadden gevolgen tot buiten Europa's grenzen, en zo was het ook nu: in december 1939 werd een Duits pantserschip, de *Graf Spee*, een Zuid-Amerikaanse haven in gejaagd en tot zinken gebracht. Deze eerste eenenveertig weken van de Tweede Wereldoorlog waren in essentie echter de laatste Europese oorlog, een oorlog die Duitsland al snel won. Het had Napoleon in 1805, in de Slag bij Austerlitz, vijf jaar gekost om heerser van Europa te worden. Hitler had maar negen maanden nodig: op 14 juni 1940 marcheerden zijn troepen langs de Arc de Triomphe die Napoleon in Parijs had laten bouwen als herdenkingsmonument van die veldslag. Half september zei Sir Alexander Cadogan op het ministerie van Buitenlandse Zaken: 'We moeten eerst vier jaar de oorlog verliezen voordat we een beslissende slag zullen winnen.' Merkwaardig accuraat ingeschat van hem.

Polen was de martelaar van de Tweede Wereldoorlog, Groot-Brittannië de held en de Verenigde Staten waren de winnaar. Zoals veel martelaren riep Polen het lot over zichzelf af. Het had ervoor kunnen kiezen een bondgenoot te worden van Duitsland, in de verwachting zo gebied in de westelijke Oekraïne te verwerven, inclusief Kiev, ooit geregeerd door Polen. In plaats daarvan bleven de Poolse machthebbers trouw aan de Britten en de Fransen, die ze nog steeds beschouwden als de overwinnaars van 1918. Toen zowel Rusland als Duitsland het land uit waren gegooid, hadden zij net als de Polen geprofiteerd van een zeer kunstmatige voorwaarde in het Verdrag van Versailles. Daarnaast beschouwden de Polen zichzelf als een grootmacht, een bolwerk in het oosten van Europa. Ze hadden gezien wat er met de Tsjechen was gebeurd. Die hadden concessies gedaan en vervolgens was er met het Verdrag van München niets van hen overgebleven. Ze wilden niet op dezelfde manier gedwongen worden op te schuiven, zelfs niet toen de nazi's en de Sovjet-Unie een pact sloten. Ze weigerden ook maar één concessie te doen, hoe klein ook, in de hoop dat Britse vliegtuigen en Franse tanks korte metten zouden maken met de Duitsers. In september 1939 hielden ze niet lang stand. Hitler viel zonder oorlogsverklaring het land binnen, en een groot deel van de Poolse luchtmacht werd op de grond vernietigd, hoewel ook een groot aantal vliegtuigen erin slaagde weg te komen naar Roemenië. De Polen schoven hun legers een flink eind vooruit om Duitsland binnen te vallen, maar werden vervolgens afgesneden doordat de Duitsers aanvallen uitvoerden vanuit het noorden van Pruisen en het westen van Silezië. Ze hielden manmoedig stand bij Warschau, maar de stad werd zwaar gebombardeerd. Het Rode Leger trok vervolgens op 17 september de oostelijke grens over. Zeventigduizend manschappen en een aantal schepen en vliegtuigen slaagden erin te ontsnappen. In het westen werd een regering in ballingschap opgezet, maar voorlopig was Polen bezet. Duitsland annexeerde een groot deel van het westen, Sovjet-Rusland het oosten. Het restant, het Generaal-Gouvernement genaamd, werd bezet door de Duitsers, en die bezetting zou met zeer veel dood en verderf gepaard gaan, waarin drie miljoen Poolse Joden en drie miljoen niet-Joodse Polen vermoord werden. In de Russische zone vonden massadeportaties plaats; bovendien werden er veel Oekraïense nationalisten onderdrukt, terwijl verondersteld werd dat zij juist voordeel zouden hebben van de Russische overheersing.

Al moesten de Duitsers hun verdedigingsmiddelen daar

concentreren, de westerse geallieerden deden niets om Polen te helpen. Frankrijk gaf zeven miljard frank uit aan een enorm verdedigingswerk, de Maginotlinie, langs de grens met Duitsland en Italië. Iedereen verwachtte dat Frankrijk hierachter veilig zou zijn, maar de linie zorgde er vooral voor dat de Franse strategie een defensief karakter kreeg. De Fransen liepen op hun tenen bij de Maginotlinie vandaan, en als er op hen werd geschoten, liepen ze op hun tenen weer terug. Londen had een reusachtige bombardementsaanval verwacht, en nadat Chamberlain voor de BBC gesproken had over de oorlogsverklaring, ging het luchtalarm af. Het was vals alarm: de Duitsers waren niet van plan een bombardementsaanval te starten. Er waren een paar acties op zee, maar bij het invallen van de herfst gebeurde er niet veel in het westen. Aangezien tanks niet makkelijk opereren in de modder, gingen de paar maanden die bekend werden als de 'schemeroorlog', over in een zeer harde winter. De westerse mogendheden wilden onder geen enkel beding aanvallen; de herinneringen aan de enorme verliezen van vijfentwintig jaar eerder weerhielden hen daarvan. De Fransen hadden in de Eerste Wereldoorlog anderhalf miljoen manschappen verloren, en de beroerde omstandigheden in de jaren dertig – Orwell noemde Parijs een kruising tussen een museum en een bordeel – nodigden de bevolking niet echt uit om voor nageslacht te zorgen. In de zomer van 1939 was er, door de honderdvijftigste verjaardag van de Franse revolutie, sprake van een licht herstel. De spirit daarvan brak in die laatste fase van de republiek echter niet echt door op de gezichten van de politici. Ze zagen eruit alsof ze als ratten in de val zaten. Bovendien: zouden ze überhaupt hulp krijgen van de Britten? Er zou, net als in 1914, een hoop gegil van doedelzakken zijn op de loopplank in Boulogne, en er zouden een paar Schotse regimenten arriveren met hun mascotte – een terriër – en een kolonel die een pijp rookte. Per slot van rekening hadden de Britten de Duitsers al in 1936 tot stoppen hebben kunnen dwingen, toen Hitler het Rijnland langs de Franse grens herbezette. Het Franse leger had, met Britse steun en een beroep op diverse clausules uit het Verdrag van Versailles, het Rijnland kunnen binnenvallen en demilitarisatie ervan kunnen hebben afgedwongen. Volgens de Fransen waren het altijd de Britten die het hun onmogelijk maakten zich netjes te verdedigen. Frans links was verleid door het communisme, waardoor een aantal linkse politici de oorlog hekelde. Frans rechts was uiteengeslagen door de ervaringen met de linkse regering van 1936-38, en een groot deel van deze mensen dweepte met het nazisme. Dat was geen formule voor een hecht bondgenootschap of een succesvolle poging een oorlog te winnen. De koude winter van 1939-40 schreed voort, terwijl er bijna niets gebeurde aan het westelijke front, behalve dat er hier en daar wat gegraven werd. België had mee kunnen doen, maar het land was ernstig verdeeld en Brussel wilde Hitler niet provoceren. De oorlog verplaatste zich naar elders, naar de periferie.

Het pact van de nazi's met de Sovjet-Unie zorgde ervoor dat de Baltische regio, inclusief Finland, onder Stalins invloed kwam. De Finse grens bij Vyborg lag niet ver van Leningrad; Stalin eiste dat die extra beveiligd werd en dat er een marinebasis kwam in Zuidwest-Finland. De Finnen – een van de kunstmatige overwinnaars van de Eerste Wereldoorlog – weigerden dat. Het klimaat en de bodemgesteldheid zorgden er echter voor dat ze het gebied veel beter konden verdedigen dan de Polen het hunne. Eind november begon er een bijzondere oorlog, die drie maanden duurde. Het Rode Leger leed uiteindelijk een verpletterende nederlaag tegen de slimme Finnen, die op ski's het bos uit kwamen om hele divisies in de val te laten lopen. De Finnen gokten erop dat de Britten hen misschien zouden komen redden, en er werd inderdaad een expeditie samengesteld. Die was echter alleen bedoeld om de Britten een excuus te geven een omweg te kunnen maken om de Duitse transporten van ijzererts uit Zweden tegen te houden. De Fransen bedachten ook een zeer opmerkelijk plan, namelijk om de paar transportvliegtuigen die ze hadden 's nachts over het neutrale Turkije te laten vliegen en bommen te laten afwerpen op de oliebronnen in Bakoe, in Azerbeidzjan. De Britten spraken daar wijs een veto over uit. De Scandinavische expeditie kostte echter veel tijd. Stalin liet generaals aanrukken die wel enig idee hadden wat ze aan het doen waren, en bracht een grote Russische troepenmacht op de been. Toen hun hoofdstad werd gebombardeerd, gaven de Finnen zich gewonnen. De Frans-Britse expeditie naar Scandinavië werd afgeblazen, hoewel de Britten nog door wilden gaan met het leggen van bommen in de Noorse wateren. Voordat ze dat konden doen, overtrad Hitler echter als eerste de neutraliteit: hij stelde de route naar Scandinavië veilig door op 9 april via Denemarken Noorwegen aan te vallen.

Vreemd genoeg was de invasie van Noorwegen een van die momenten waarop Hitler de oorlog verloor. De *Kriegsmarine*, de Duitse marine, was nooit echt groot genoeg, maar zou onder de juiste omstandigheden een beslissende bijdrage hebben kunnen leveren aan een invasie van Zuid-Engeland. De Noren maakten dat onmogelijk. Door in het wilde weg met oude Noorse vestingkanonnen te schieten en torpedo's af te vuren, werd in Oslo het belangrijkste Duitse oorlogsschip opgeblazen. Daarnaast werden er tijdens confrontaties met de Britten veel torpedobootjagers tot zinken gebracht. Deze gelukkige wending in de oorlog bleek ook op een andere manier beslissend te zijn. Ze kostte Chamberlain de kop, waarna alle parlementsleden in Londen die misschien bereid zouden zijn geweest tot een of andere deal met Hitler, van het toneel verdwenen. Bij het uitbreken van de oorlog had Chamberlain Churchill naar voren geschoven als hoofd van de Admiraliteit, een soort minister van de Marine. Churchill pakte in die hoedanigheid de Noorse kwestie niet goed aan. Er ontstond voor het eerst een rechtstreekse confrontatie tussen de Duitse en de Britse troepen. De Britten deden het niet goed; ze verknoeiden op een typisch Britse manier het begin van de oorlog. Het optreden legde ook een zwakte van de Britten bloot: de overwaardering van het land als zeemacht. De Britten hadden enorme slagschepen: de *King George V* kostte evenveel als een moderne fabriek en er werkten meer mensen op dit schip dan in een fabriek. Het schip kon drieduizend ton brandstof aan boord meenemen, evenveel als een tanker, en de motoren genereerden evenveel pk's als een krachtcentrale. Het schip had tien grote kanonnen aan boord, die elk tachtig ton wogen en een bom van zevenhonderd kilo konden afschieten over een afstand van ruim dertig kilometer. De geschutskoepels op het schip wogen vijftienhonderd ton. Hoe konden deze monsters, die twee jaar bouwtijd vergden, ooit tot zinken worden gebracht? In feite vormden ze tezamen echter één grote drijvende Maginotlinie die kapotgeschoten kon worden door vliegtuigen.

Intussen kreeg Chamberlain in Londen de schuld van alles wat verkeerd ging. Een dramatisch moment in het Lagerhuis was, toen ontevreden imperialisten – overwegend conservatieven – tijdens een stemming over een motie van wantrouwen tegen Chamberlain samenspanden met links, terwijl andere conservatieven zich van stemming onthielden. Eén conservatief parlementslid, Leo Amery (wiens oudste zoon ironisch genoeg bleef uitzenden op de naziradio en na de oorlog opgehangen zou worden wegens landverraad), eindigde zijn aan het parlement gerichte aanklacht tegen Chamberlain met de beroemde woorden van Oliver Cromwell: 'U zit hier al te lang zonder ook maar iets goed te doen. Vertrek, zou ik zeggen, we zijn klaar met u. In godsnaam, ga!' Dit was het teken dat er bij de Britten een krachtige nieuwe geest uit de fles was ontsnapt. Het 'establishment' (zoals het later werd genoemd) vond Churchill een wispelturige man, een non-conformist. Malcolm Muggeridge merkte eens op dat Britse politici, om succesvol te kunnen zijn, een 'bookie' (bookmaker) moest zijn of een zedenprediker. In 1940 was die bookie Lloyd George, terwijl een potentiële vervanger voor Chamberlain de in vervoering sprekende Lord Halifax was, die inderdaad leek op een zedenprediker. Het establishment wilde hem hebben, maar dit was nog niet het juiste moment voor het establishment, en bovendien kon Halifax – zoals hij het zelf zei – het land moeilijk leiden vanuit het Hogerhuis. De nationale opinie werd verwoord door de Labourpartij – lees: de vakbonden – en Churchill vormde een coalitieregering met hen. Hij kondigde aan wat zijn beleid was: bloed, zweet en tranen en hard ploeteren. Dat was inderdaad het enige wat hij te bieden had, omdat op dat moment in het westen de enorme strijd begon. Churchill ging niet naar Frankrijk. De klassieke auteur generaal Edward Spears schrijft: 'De Britse middenklasse was niet bang, de Franse bourgeoisie bleef echter bazelen van angst.'

Hitler had de voorafgaande herfst, die van 1939, al willen aanvallen, maar de Duitse generaals waren niet enthousiast. Ze bleven maar excuses zoeken: deze eenheid was er nog niet klaar voor, het weer was te nat, waardoor het te modderig was enzovoort. Een aantal van hen had het er zelfs over om Hitler uit het zadel te wippen, hoewel we dat natuurlijk – zoals altijd – pas veel later te horen kregen. Na enige aansporing door Hitler maakten de generaals een schema, een variant op het originele Schlieffenplan uit 1897, dat voorzag in de invasie van Nederland en België, in het geval van een oorlog met Frankrijk. Vervolgens hielp het toeval een handje. Een officier die een lift kreeg met een vliegtuig vanuit Keulen, nam de plannen mee voor een vergadering. Het vliegtuig raakte de weg kwijt, maakte een noodlanding in België en de papieren – half vernietigd maar nog wel leesbaar – werden meegenomen door de Belgen. Ze gaven ze door aan de Fransen, en het Franse opperbevel zag hierin de bevestiging van wat men al vermoedde dat er zou gaan gebeuren. De gevolgen hiervan waren tweeledig. De Fransen werden in een van de grootste militaire mislukkingen ooit geluisd, omdat de Duitsers hun plan wijzigden. Hitler had, zoals zo vaak, gegist hoe het zat en gedacht dat een vermetel plan kans van slagen had, terwijl de generaals de kracht van het Franse leger enorm overschatten en echt alleen het industriële Ruhrgebied wilden beschermen tegen een aanval. Erich von Manstein – een ambitieuzere generaal, die begreep wat tanks en vliegtuigen vermochten – deed een voorstel voor een daadwerkelijk vermetel plan, maar werd door het opperbevel aan de kant gezet. Toevallig had hij in Berlijn een ontmoeting met Hitler, die hij vertelde over zijn plan. Het Duitse leger zou een schijnbeweging maken en met een grote troepenmacht België en Nederland binnenvallen, waardoor de Fransen zich genoodzaakt zouden zien ook mee te gaan doen in de oorlog. De echte Duitse aanval zou echter plaatsvinden via de Ardennen in het zuidoostelijke deel van België, een dichtbebost en heuvelachtig gebied. Het had een dun wegennet, van een matige kwaliteit, maar met behulp van goed vervoersmanagement kon het bruikbaar worden gemaakt. Een enorme Duitse legermacht zou door de Ardennen trekken en bij het plaatsje Sedan de rivier de Maas oversteken. (Zeventig jaar eerder versloegen de Pruisen daar een Frans leger, hetgeen leidde tot de vereniging van Duitsland.) Natuurlijk kon deze manoeuvre tot stoppen worden gebracht, feitelijk veranderen in een ramp als het fout ging, als – laten we zeggen – de tanks werden aangevallen vanuit de lucht en buiten gevecht werden gesteld. Hitler nam de gok.

Op 10 mei opende het geschut het vuur aan het westfront. En dan volgt een van de vreemdste verhalen over militair aanmodderen en miskleunen ooit. De Fransen hadden een enorme vergissing gemaakt door heel veel energie te stoppen in de verdedigingswerken langs de Maginotlinie. André Maginot, sergeant tijdens de Eerste Wereldoorlog, was in 1929 minister van Oorlog geworden. Franse troepen kregen om veiligheidsredenen toestemming het Rijnland te bezetten: op die manier werd een Duitse invasie onmogelijk gemaakt. In 1929-30 stelden de Britten, in een poging Duitsland 'zoet te houden', als eerste voor om de geallieerde troepen terug te trekken. Maginot antwoordde daarop dat de veiligheid alleen kon worden gegarandeerd als er uitgebreide verdedigingswerken werden gebouwd. Dat programma werd een enorme molensteen om de nek van de Fransen. Het was duidelijk dat ze een derde van hun strijdkrachten daar moesten stationeren, om de linie te verdedigen. De Duitsers hoefden er slechts een paar divisies veteranen van middelbare leeftijd voor te plaatsen en konden hun goede troepen en wapens elders inzetten. Op die manier creëerde de Wehrmacht (de Duitse strijdkrachten) – zij het in de minderheid wat betreft tanks – op plaatsen waar dat van belang was een vernietigende overmacht. Ze zou door België heen trekken, en dat verwachtten de Fransen ook. Om te voorkomen dat Noord-Frankrijk in de oorlog werd betrokken, stuurden de Fransen troepen naar België, die daar stuitten op naar ze dachten de hoofdtroepen van de Duitsers. Verkeerd gedacht. Het was Legergroep B, met dertig infanterie- en drie pantserdivisies (elk bestaande uit ongeveer tweehonderd tanks). Ze sloegen een grote slag door met een briljante tactiek het grootste fort ter wereld – Eben-Emael, op de Belgisch-Nederlandse grens – in te nemen: zweefvliegtuigen voerden paratroepers aan die met rubberen schoenen aan landden op het dak, zodat ze geen geluid zouden maken, en gooiden handgranaten door de ventilatieschachten en schietgaten naar binnen. Vervolgens trokken ze snel op en kwamen bij de linie langs de rivier de Dijle, waar ze stuitten op het Franse leger en bijna heel het Britse expeditieleger (de BEF), dat België in getrokken was en Nederland probeerde te bereiken.

Dit was het leeuwendeel van het Franse leger, en het beste. Het werd in een enorme olifantenval gedreven, waarna er nog slechts een paar slecht bewapende troepen overbleven om Frankrijk fatsoenlijk te verdedigen. De Duitsers hadden de codes gekraakt waarmee het Franse leger communiceerde, wisten welke troepen er bij de Maginotlinie moesten blijven en waren dus in staat na te gaan waar de Fransen er het zwakst voor stonden. Gezien het feit dat het overgrote deel van het Franse leger en het gehele Britse expeditieleger België in was getrokken, waren er alleen maar zwakke legereenheden tussen België en de noordrand van de Maginotlinie. Ze zaten verspreid langs de Maas, werden zwak geleid en de manschappen waren de belichaming van de demoralisatie van de Derde Franse Republiek: ze waren vies, eigenzinnig, kauwden op hun sigaret en stonken naar goedkope wijn. (De gemiddelde Fransman kreeg daarvan gemiddeld drie liter per dag binnen; eerlijkheidshalve moet wel worden gezegd dat de helft van deze manschappen boer was en het water onbetrouwbaar.) Bijna niemand had verwacht dat de Duitsers hier misschien opnieuw met een enorme troepenmacht zouden aanvallen, want in 1914 hadden zevenenveertig Duitse legertrucks geprobeerd over deze wegen rijden, maar ze gingen op één na allemaal kapot. De legertrucks en de tanks waren inmiddels echter sterk verbeterd. De Ardennen stroomden nu vol tanks en voertuigen die in lange rijen bumper aan bumper kwamen binnenrijden, en ook vol lange rijen marcherende troepen en manschappen op de fiets, allemaal onder dekking van de Luftwaffe. Het was inderdaad een verbazingwekkend staaltje van vervoersmanagement, en tanks die kapotgingen werden efficiënt langs de kant van de weg gezet. Volgens het opperbevel zou het tien dagen duren voordat ze de Maas bereikten, terwijl de tankcommandant, Heinz Guderian, dacht dat hij het in vier dagen zou redden. De Duitsers waren binnen twee dagen bij de Maas, zo bleek achteraf, en staken op 15 mei om drie uur 's middags in rubberboten de rivier over. De Fransen waren simpelweg geen partij voor de Duitsers. Ze werden uit elkaar gedreven en kregen door stuka's de stuipen op het lijf gejaagd. Die doken met huilende sirene bijna verticaal naar beneden en wierpen een bom van een kwart ton af, waarmee een aantal tanks en zelfs de artillerie werden lamgelegd. In feite waren de stuka's langzaam en kwetsbaar als de artilleristen niet in paniek raakten. In 1940 deden ze dat echter wel, omdat de Luftwaffe toen manmoedig werd geleid. Een belangrijk Duits voordeel wierp in de Ardennen zijn vruchten af. De Luftwaffe was namelijk opgezet ter ondersteuning van het leger, een soort 'vliegende artillerie', terwijl de opzet van de Britse RAF was om zelfstandig oorlog te voeren in de lucht, waarbij bombardementen met langeafstandsraketten een belangrijke rol speelden. (In 1936 werd dit formeel erkend door de instelling van het Bomber Command.) De Franse en de Britse bommenwerpers kregen echter pas heel laat te horen dat de Duitsers door de Ardennen trokken, en toen ze uiteindelijk aanvielen, bij daglicht, hadden de Duitse Messerschmitt Bf 109 jachtvliegtuigen weinig moeite met hen. Die eerste dag kwamen er tweeëndertig bommenwerpers in actie; dertien daarvan werden neergehaald, de rest raakte beschadigd. Volgens oorlogshistoricus Max Hastings waren het 'doodskisten'. De Franse piloten raakten gedemoraliseerd door de onbetrouwbaarheid van de machines. Hun jachtvliegtuigen waren zeer langzaam en reageerden niet altijd zoals het moest; daarnaast was de RAF bezorgd hoe de Britse Eilanden verdedigd moesten worden als hun jachtvliegtuigen in Frankrijk werden ingezet. De Duitsers trokken verder. Op 16 mei hadden ze hun tanks over de Maas. Guderian trok snel op en negeerde orders om te stoppen. Zijn methode ging de geschiedenis in als de 'Blitzkrieg', de Duitse vertaling van het Italiaanse begrip 'guerra lampo' [in het Nederlands 'bliksemoorlog', toevoeging vertaalster]. Dat was echter niet de oorspronkelijke opzet van deze campagne, die bedoeld was om de geallieerden uit België weg te houden, van waaruit ze een bedreiging vormden voor de industrie in het Ruhrgebied. Het was Guderians idee om snel op te trekken, maar zijn superieuren, inclusief Hitler, maakten zich zorgen dat hij vanuit het zuiden zou worden aangevallen en afgesneden. Hij zette toch door en stopte alleen bij de verlaten garages als hij benzine nodig had; zijn mannen molken dan de gestreste en verlaten koeien. Ter rechterzijde van hem stak de energieke veldmaarschalk Erwin Rommel ook met tanks de Maas over en dekte die flank. De open linkerflank had kwetsbaar kunnen zijn, ware het niet dat de Duitse infanterie opnieuw een sterk staaltje vertoonde door een week lang zo'n kleine vijfenzestig kilometer per dag voort te ploeteren door het heldere vroege-zomerweer. Als er dan eventueel een tegenaanval kwam van de Fransen, zou die mislukken door de sterkere tegenstand (en worden vertraagd door de stroom vluchtelingen die vertwijfeld over de wegen sjokte). Rommel haalde wel tachtig kilometer per dag. Intussen verkeerde Maurice Gamelin, de Franse commandant, in de veronderstelling dat hij Parijs moest verdedigen. De commandant van Guderians Legergroep A, Gerd von Rundstedt, was dus vrij om naar het Kanaal te trekken. Die tocht ging over vlak land en het was ideaal weer voor de tanks. De Franse tanks waren echter niet zo gegroepeerd dat ze in de tegenaanval konden gaan – ze stonden op de verkeerde plek – en de ene na de andere Franse troepenmacht gaf zich over. Rundstedt kwam aan bij Amiens en het oude slagveld aan de Somme, en vervolgens op 20 mei bij Abbeville, aan het Kanaal. Dat was slechts een paar dagen na de eerste doorbraak aan de Maas. De Franse commandant maakte zich nog steeds zorgen dat de Duitsers koers zouden zetten naar Parijs en werd tijdens zijn opmars naar het Kanaal opnieuw verschalkt. Het rampzalige was dat de Britten en de Fransen nu in België werden afgesneden, en dat Nederland inmiddels ook was gevallen: Rotterdam was zwaar gebombardeerd. De Fransen hadden het in België redelijk gedaan tegen Legergroep B, en hun prestaties verbeterden nog aanzienlijk toen ze zich realiseerden wat er op het spel stond. Nu ze echter door Legergroep A werden afgesloten van Frankrijk, trokken ze met de Britten richting de zee, overgeleverd aan de willekeur van de Luftwaffe. De Belgen op hun beurt gaven zich over. Hoewel de Belgische koning later scherpe kritiek kreeg te verduren, had het Belgische leger lang genoeg doorgevochten om de Britten en de Fransen in staat te stellen de kust te bereiken, zij het met moeite. De Fransen voelden zich inmiddels ook aangespoord, en de troepen van Legergroep B stootten op verzet. Een kleine groep bestaande uit vier divisies hield bij Lille de Duitsers tegen. Die stonden uit bewondering de Fransen toe zich waardig over te geven. Op 21-22 mei slaagden de Britten en de Fransen erin een tegenaanval te plaatsen bij Arras, hetgeen voor enige onrust zorgde bij de Duitsers. Daarnaast was de Luftwaffe ernstig uitgedund: vliegtuigen konden het aantal uren dat moest worden gemaakt niet goed aan, en de reparatiewerkplaatsen raakten overbelast. De helft van de bommenwerpers was buiten bedrijf. Op 23 mei gaf Hitler bevel tot een adempauze. De commandant van de Britten, Lord Gort, was een goede gevechtssoldaat en slaagde erin zijn eigen leger weg te krijgen uit het gewoel van de geallieerden. Hij trok zich in gevechtsorde terug richting het Kanaal, naar de haven van Duinkerken. Het was goed verdedigbaar land met kanalen. De evacuatie begon op 27 mei, en de verwachting was dat er slechts tienduizend man zou terugkeren. De Britse jachtvliegtuigen schakelden nu de Duitse bommenwerpers uit, het weer werkte eindelijk mee, en de torpedobootjagers waarmee de meeste soldaten werden opgehaald, kregen hulp van zo'n duizend andere boten van allerlei soort. Zo'n driehonderdveertigduizend manschappen – tweehonderdnegenentwintigduizend

Britten en de rest Fransen en Belgen – werden gered, maar lieten wel hun zware uitrusting achter.

Duinkerken was een zeer bijzonder moment, maar de Fransen betaalden wel de rekening omdat ze de aftocht hadden gedekt: er werden zo'n één miljoen achthonderdduizend mensen krijgsgevangen gemaakt. Beide zijden erkenden nu de omvang van de Duitse overwinning, en op 14 juni viel Parijs zelf. De Maginotlinie werd intact veroverd, van achteren, en op 22 juni werd er een wapenstilstand ondertekend. Duitse troepen bezetten Noord- en West-Frankrijk; de rest van het land leidde een gezapig leven onder een collaborerend regime, gevestigd in het kuuroord Vichy. Dit regime – onder leiding van een held uit de Eerste Wereldoorlog, maarschalk Philippe Pétain (vierentachtig jaar oud) – hield zich bezig met allerlei plannen voor nationaal herstel. Het weigerde vierhonderd gevangengenomen piloten van de Luftwaffe over te dragen aan de Britten, en bracht niet de marine tot zinken om die uit de klauwen van de Duitsers te houden, zoals de Britten energiek hadden voorgesteld. Het regime werkte een tijdje mee, maar nog voor de wapenstilstand op 18 juni ging een dissidente officier, Charles de Gaulle, met een paar sympathisanten naar Londen, waar hij de 'Vrije Fransen' oprichtte. Hij kreeg al snel veel aanhang in Frans-Afrika. Intussen werd Frankrijk meedogenloos leeggeplukt door de Duitse bezetters. Bang dat de Franse marine wellicht ook onder het commando van de Duitsers kwam, brachten de Britten een groot deel ervan tot zinken toen de schepen in een Algerijnse haven lagen. Intussen maakten ze elders afspraken met de Franse marinecommandanten. In deze zeer moeilijke periode stapte uiteindelijk ook Mussolini in de oorlog.

Groot-Brittannië had nu geen bondgenoten meer op het Europese vasteland, en omdat ook de Italianen in de oorlog waren gestapt, was zelfs de Middellandse Zee niet meer vrij toegankelijk. Ten tijde van de gebeurtenissen in Duinkerken had een van de kabinetsleden zich twijfelend afgevraagd of het niet beter was om vrede te sluiten; Churchill overwoog dat ook even. In 1918 was er een vergelijkbare situatie geweest: de Duitsers dicteerden toen het verslagen Rusland de voorwaarden en hadden er bij de Britten op gezinspeeld dat ze misschien een deal konden sluiten ten koste van Frankrijk. Premier Lloyd George had dit even overwogen, maar het idee toen weggewuifd: een Duitsland dat Rusland de wet voorschreef, zou onuitstaanbaar en onverslaanbaar zijn. Dat was in 1940 eens te meer duidelijk, en Churchill nam het risico: we vechten door. Het was een bijzondere beslissing, maar hij had de ruggensteun van het volk, en de leden van zijn kabinet juichten hem – een aantal huilend van vreugde – toe. Hitler zelf begreep het niet goed en bood vredesvoorwaarden aan, hoewel op zo'n triomfantelijke toon dat hij erom vroeg nul op het rekest te krijgen. Churchill verklaarde wat zijn oorlogsdoel was. Dat was heel simpel: de Duitsers moesten de door hen veroverde gebieden opgeven en duidelijk laten zien dat ze niet terug zouden vallen in hun oude misdaden.

De moderne oorlogvoering ontwikkelt haar eigen momentum, en dan wordt er niet meer nagedacht. Wat de Britse publieke opinie betreft: de oorlog was al sinds de zomer van 1939 aan de gang, en ze gingen nu niet opgeven. Er leek echter zeer weinig hoop. De Duitse oorlogsmachine verzamelde zich aan de andere kant van het Kanaal, en haar leiders maakten plannen voor een invasie van de Britse Eilanden, *Unternehmen Seelöwe* ofwel 'Operatie Zeeleeuw'. De Duitsers hadden echter (deels vanwege de campagne in Noorwegen) veel te weinig oorlogsschepen om verzekerd te zijn van succes, en de Luftwaffe moest de oude schepen die zich verzameld hadden voor de Franse kust, dekking bieden. Het doel van de Luftwaffe was de RAF uit de lucht te slaan. Ten slotte zouden er bommenwerpers overkomen, onder dekking van jachtvliegtuigen, om de Britten zo veel schrik aan te jagen dat ze zich gedwongen voelden om zich over te geven.

Het Duitse plan was ondoordacht en er waren niet genoeg jachtvliegtuigen: de Luftwaffe verloor van 10 mei tot 31 juli bijna vierenveertighonderd vliegtuigen. De RAF, op korte afstand van haar basis opererend, kon veel royaler omgaan met de brandstof, terwijl de piloten van de Luftwaffe steeds terug moesten naar hun basis. *Unternehmen Adlerangriff* ('Operatie Adelaar') – de Duitse codenaam voor deze campagne – begon officieel op 13 augustus, en de Slag om Engeland, zoals het later werd genoemd, duurde van 15 augustus tot 15 september. Allereerst hadden de Duitsers geen duidelijk plan gemaakt om hun doel te bereiken en leden ze zware verliezen: op 15 augustus vijfenzeventig vliegtuigen tegen vierendertig van de Britten. Het hoofd van het RAF Fighter Command, Hugh Dowding, verbood zijn mannen het soort luchtgevechten dat goed was voor de propaganda. In plaats daarvan liet hij hen de bommenwerpers neerhalen. Vervolgens veranderde de Luftwaffe van doel en probeerde de vliegvelden in Zuid-Engeland kapot te gooien. Deze keer waren het de Britten die grotere verliezen leden. Toen gebeurde er een ongeluk. Een Duitse vlieger moest zijn lading kwijt om naar huis te kunnen vliegen en liet op 24 augustus zijn bommen vallen op – wat hij dacht – landelijk gebied. Het was echter een verduisterde woonwijk van Londen. De RAF dacht dat het bombarderen van de steden begonnen was, en antwoordde met een aanval op Berlijn. Hitler verloor zijn geduld en gaf opdracht Londen te bombarderen en helemaal plat te gooien. Vanaf 7 september was de stad een week lang het doel, tot 15 september. Die dag pleegden de Duitsers nog een laatste grote krachtsinspanning. Deze keer verloren de Britten zesentwintig vliegtuigen, de Duitsers zestig. (Later maakten de Britten bekend dat het werkelijke aantal honderdvijfentachtig was.) De Luftwaffe verloor in totaal zeventienhonderddrieënzeventig vliegtuigen, de

RAF negenhonderdvijftien. Er was nog een getal waar op dat moment niet veel aandacht voor was: de Britse output van jachtvliegtuigen was veel groter dan de Duitse. Ze hadden zich op een later tijdstip herbewapend en de dingen doordacht, terwijl de Duitsers nu eens de pech hadden dat ze als eerste uit de startblokken kwamen, een groot aantal instanties hadden die elkaar tegenwerkten en ook nog eens zeventien verschillende researchlaboratoria hadden. Toen Lord Beaverbrook de leiding kreeg over de vliegtuigproductie, maakte hij een einde aan de onzin dat er drie ambtenaren waren voor elk vliegtuig. Hij sneed bochten af, was bot over de telefoon en negeerde wat de commissies te zeggen hadden. Zoals Alistair Horne zei: het was 'schreeuw en heers'. De vliegtuigproductie van de Britten was een groot succesverhaal, terwijl de Luftwaffe er een puinhoop van maakte, die ten slotte treffend eindigde in München in 1945, toen het eerste jachtvliegtuig door runderen de baan opgetrokken moest worden, om brandstof te besparen. De Britten produceerden in 1940 vijfhonderd vliegtuigen per week, de Duitsers slechts half zo veel.

De invasie van Groot-Brittannië werd afgeblazen. Hitler en Göring gaven als vergeldingsmaatregel opdracht de komende zes maanden, zover het weer het toeliet, door te gaan met de bombardementen op Londen. Het was een historische gebeurtenis, gesymboliseerd door de foto van St. Paul's Cathedral omringd door vlammen van gebouwen die overal in brand stonden. Tot maart 1941 werd er elke maand negenduizend ton zeer explosieve bommen op de stad gegooid. De havens in East End waren een speciaal doel, en de arbeidersbevolking aldaar bracht de nacht door in schuilkelders en soms diep onder de grond in de Londense metro. Volgens George Orwell was men opmerkelijk gedisciplineerd en brak er zelden paniek uit. Hij tekende ook aan dat er een buitengewone solidariteit heerste, en schreef er een ietwat sentimenteel essay over (*The Lion and the Unicorn*), als een soort socialistische emancipatie. Andere mensen emancipeerden op een andere manier. Graham Greene liet zijn gezin achter in Beaumont Street, Oxford, en had een affaire met een meisje uit een flat in de buurt van het British Museum. Hij was de brandwaker van het gebouw, werd tijdens een inspectie geraakt door een bom en moest vanaf de bovenste verdieping van het gebouw naar beneden klauteren. Deze ervaring bracht hem ertoe het meisje te verlaten (kennelijk was ze nogal lelijk) en komt in de literatuur en de film terecht als *Het einde van een grote liefde*. Er waren veel van dat soort emancipaties in de Tweede Wereldoorlog.

Boven dit alles stond de immense figuur Churchill, die in die periode zijn hoogtepunt beleefde. Hij leidde zonder al te veel strubbelingen een land dat verenigd was in standvastigheid, in wat hij noemde: 'Onze mooiste tijd'. De ware hoop kon echter alleen maar zijn dat de Verenigde Staten zouden interveniëren, en dat was geen gemakkelijke zaak. De Amerikaanse wet eiste strikte neutraliteit. Er was een enorm sterke reactie geweest op de Eerste Wereldoorlog. Veel Amerikanen hadden het gevoel dat ze er op de een of andere manier in waren geluisd, omwille van de financiële belangen van de oostkust, en dat president Franklin Roosevelts handen gebonden waren. In theorie konden er geen wapens worden verkocht, behalve tegen contante betaling, maar niet op krediet. De Britten hadden enorm geïnvesteerd in de Verenigde Staten en hadden er enorm veel bezittingen. Die werden nu gedwongen verkocht, bijna tegen afbraakprijzen, om te kunnen betalen voor de wapens. Er voeren echter Duitse U-boten op de Atlantische Oceaan, waardoor de Amerikaanse handel werd bedreigd. Roosevelt wist in elk geval heel goed dat als de Britten ineenstortten, de Verenigde Staten te maken zouden krijgen met een wereld die gedomineerd zou worden door Duitsland en Rusland, en met een Japan dat niet alleen in China expandeerde maar ook elders in Oost-Azië, waar de Amerikanen aanzienlijke belangen hadden.

De twee Atlantische mogendheden werkten daarom samen op een manier die formeel niet bij de wet verboden was. Roosevelt schonk de Britten vijftig Amerikaanse torpedobotjagers om hun scheepvaart te verdedigen, in ruil voor een pachtovereenkomst voor bases in Brits West-Indië. Intussen kregen Amerikaanse oorlogsschepen toestemming om op Duitse U-boten te schieten, en dat deden ze vanaf oktober 1940 ook. Hitler gaf strikte orders dat er geen vergeldingsacties mochten worden uitgevoerd, omdat de twee landen niet in oorlog waren, maar zijn kapiteins voelden zich weleens uitgedaagd en in één geval was er wel sprake van vergelding. In Hitlers optiek was hij eigenlijk al in oorlog met de Verenigde Staten. Feitelijk vond de belangrijkste strijd plaats op de Atlantische Oceaan, omdat er steeds meer Duitse U-boten werden gebouwd, die een bedreiging vormden voor de vitale aanvoerlijnen van de Britten.

Intussen hadden de Britten grote macht op een cruciaal gebied: hun aangeboren handigheid om, als een soort spelletje, geheime informatie te verzamelen. Het grootste deel van de geheime Duitse codes was door hen gekraakt, en in feite hadden ze een kopie gemaakt van de Enigma, de ongelooflijk ingewikkelde codeermachine van de Duitsers. Voor die tijd gebruikte de Britse geheime dienst de aanduiding 'top secret' voor de geheime informatie die van cruciaal belang was voor de nationale veiligheid. Voor het breken van Duitse (en andere) codes was er nu een nieuw, hoger geheimhoudingsniveau: 'ultra secret', oftewel Ultra. (De Enigma en de Ultra markeren belangrijke stadia in de ontwikkeling van de computer.) Als de Duitsers wisten dat de Britten hun geheime informatie decodeerden, was het spelletje natuurlijk over. Om voor de Duitsers geheim te houden dat hun plannen bekend waren, ondernamen Britse commandanten soms opzettelijk geen acties die een nederlaag zouden voorkomen. Het belangrijkste voorbeeld daarvan is de mislukte verdediging van de grootste luchthaven van Kreta, in mei 1941, toen de Duitsers op het punt van aanvallen stonden. Tegen 1943 was Hitler er zo van overtuigd dat iemand uit zijn directe omgeving militaire geheimen doorspeelde, dat hij in zijn eentje lunchte, hooguit met zijn bediende Straub.

Al met al was Hitler in de eerste maanden van 1941 zeer gefrustreerd. Hij wist dat de Amerikanen zich aan het bewapenen waren, dat ze zich misschien in de oorlog zouden mengen. Hij had het idee dat hij zelf niet oud zou worden en zei vaak genoeg dat als hij er niet was geweest, Duitsland niet zou zijn waar het nu was. De publieke opinie thuis wachtte op het volgende mirakel, en intussen had de bevolking te maken met vervelende ontberingen die helemaal geen nut hadden in de oorlog zoals die op dat moment was. In die omstandigheden dacht Hitler bij zichzelf: de enig ware hoop voor de Britten was dat de Russen nog steeds gezond en wel aanwezig waren. Hij zou hen eruit schoppen.

Hoofdstuk 3

Operatie Barbarossa

Hij, Hitler, zou de Duitse
Alexander de Grote worden
en het tirannieke oosterse rijk
ten val brengen

Duitse pantserwagens kwamen tot 29 kilometer
van Moskou in december 1941, voordat de
aanval doofde door een vorst van -34 graden,
gebrek aan reserves en materieel.

Toen Frankrijk viel, was Hitler een en al euforie. Hij ging terug naar Duitsland via Straatsburg, de hoofdstad van de Elzas die opnieuw Duits was, en werd thuis bejubeld en toegejuicht. De Duitsers was een naar verwachting langdurige oorlog bespaard gebleven, en ze hadden heel weinig doden en gewonden te betreuren: minder dan dertigduizend soldaten waren gesneuveld. Ze hadden nu geen vijand meer op het vasteland. In 1918, Hitlers geopolitieke startpunt, was Rusland uiteengevallen. In maart van dat jaar legden de Duitse generaals met de Vrede van Brest-Litovsk tussen Rusland en Duitsland de voorwaarden neer voor de opzet van een Oost-Europees rijk met Berlijn als hoofdstad. Hitler was begonnen met een grootscheepse verbouwing van de hoofdstad met deze richtlijnen als uitgangspunt. In de concentratiekampen, meestal in de buurt van een steengroeve, werkten gevangenen om het bouwmateriaal te produceren voor de enorme bouwwerken die moesten worden neergezet. De Rijkskanselarij was al klaar, compleet met een adelaar met swastika op de wereldbol, en er zou een kolos van een boulevard worden gebouwd, de 'oost-westas', waarover de machtigste man van Duitsland snel met een colonne auto's door de juichende massa's heen kon rijden. Hitler had binnen negen maanden meer bereikt dan welke andere Duitse heerser vóór hem. Nu kon hij terugkeren naar het oorspronkelijke plan uit *Mein Kampf*, geïnspireerd op de Vrede van Brest-Litovsk: een enorm Europa geregeerd door Adolf Hitler. De tijd was rijp voor een aanval op Sovjet-Rusland.

Om Rusland te kunnen binnenvallen, moest Hitler echter een overeenkomst zien te sluiten met de Britten, maar die weigerden dat. In plaats daarvan veegden ze in juli zijn vredesaanbod van tafel. Daarna vochten ze terug, en Hitler verlegde zijn aandacht naar het zuiden en het westen, bij Rusland vandaan. Hij moest samenwerken met dat land, en Stalin was daartoe maar al te zeer bereid. Die had eindelijk een reusachtige militaire coup neergeslagen, volgens hem bedoeld om hem ten val te brengen, en vijfendertigduizend hoge officieren gedegradeerd, gevangen laten zetten of laten doden, inclusief drie van de vijf maarschalken en een aantal van de beste bedenkers van militaire uitvindingen. Degenen die het hadden overleefd, waren niet berekend op een Duitse Blitzkrieg en daarom probeerde hij Hitler af te kopen. Er gingen twee miljoen ton olie, honderdveertigduizend ton mangaan, zesentwintigduizend ton chroom en nog veel meer andere grondstoffen de grens over, in ruil voor militaire exportproducten waarvan de levering niet betrouwbaar was. Kijk je naar de diplomatieke vriendelijkheden tussen de landen, dan ging het er nogal vreemd aan toe. Sergei Eisenstein, de fameuze maker van de anti-Duitse historische epische film *Alexander Nevski*, uit 1938, kreeg de leiding over een productie van *Die Walküre* van Richard Wagner in het Bolsjojtheater. Daarnaast waren de relaties met het bezette Polen best vriendelijk, terwijl Gestapo-officieren geheime notities vergeleken met hun tegenspelers bij de NKVD – de geheime politie van Stalin – en ze gezamenlijke skiwedstrijden hielden. Hitler kreeg voor zijn eenenvijftigste verjaardag van Stalin vijftig Duitse communisten. Een van hen, Margarete Buber-Neumann, schreef een boek over haar tijd in de kampen. (Ze vertelde dat er in de Sovjetkampen nog weleens sprake was van enige humaniteit; in de veel efficiëntere Duitse kampen nooit.) Er waren tegenstrijdige belangen, natuurlijk, maar dat hoefde niet per se te leiden tot een oorlog. Hitler had andere dingen te doen.

Churchill en Hitler zochten naar manieren om elkaar te bestrijden. In de zes maanden die volgden op de Slag om Engeland, ging de Blitzkrieg op de Britse steden door. De schade was groot: tegen mei 1941 waren er drieënhalf miljoen huizen beschadigd of kapotgebombardeerd, inclusief het gebouw van het Lagerhuis en een groot deel van de binnenstad van Londen, en waren er dertigduizend mensen omgekomen. De productie noch het moreel liep echter een deuk op. Aan de andere kant beschikten de Britten, hoewel zeer enthousiast over het bombarderen van de vijand, zelf niet over de technische vereisten, en verloren ze op elke tien ton bommen die ze afgooiden één bommenwerper – een verliescijfer dat ze niet konden volhouden en dat in elk geval nogal wat schade aanrichtte.

De situatie op zee was nog gevaarlijker, omdat de Duitse U-boten gebruik konden maken van Franse havens en bijgevolg veel dichter bij het slagveld op de Atlantische Oceaan zaten. In april 1941 ging er bijna zevenhonderdduizend ton lading verloren, meer dan kon worden vervangen. De Duitsers hadden echter te weinig onderzeeboten, en de Britten wisten in elk geval waar ze zaten, omdat ze de codes van de Duitsers hadden gekraakt. Toen in 1940-41 de geallieerde schepen systematisch in konvooi gingen varen, werden er aanzienlijk minder schepen tot zinken gebracht (net als in 1917). Bovendien boden de Verenigde Staten belangrijke hulp in de vorm van beveiliging van de zeeroutes achter IJsland. Hitler overwoog een poosje de Britse positie in de Middellandse Zee aan te vallen, en benaderde daartoe Franco in Spanje om te horen wat hij daarvan vond. Franco was trots, maar wilde niet dat Spanje behandeld werd als een satelliet van Duitsland. Hoe het ook zij, er was na de burgeroorlog nog maar weinig over van Spanje, maar Franco verdedigde dit restant nog steeds wraakzuchtig. Hij kreeg de Gestapo zover dat die de bejaarde Luis Companys uitleverde, de vroegere president van Catalonië (die nota bene in 1936 verhinderde dat Franco's broer werd doodgeschoten) die woonachtig was in Parijs – en liet hem doodschieten. De Britse ambassadeur had tien miljoen pond gekregen om Spaanse generaals om te kopen als het ernaar uitzag dat ze mee zouden doen aan de oorlog, maar Spanje hield zich afzijdig: Franco was op zijn hoede, en Hitler wilde in geen geval hoeven bemiddelen in de claims van Frankrijk, Italië en Spanje. Nazi-agenten gingen het Midden-Oosten rond om daar steun te zoeken, maar ze kwamen met lege handen terug: blijken van waardering: ja (inclusief die van een jonge officier: Gamal Abdel Nasser), maar een effectieve bijdrage: nee. Dit naarstige zoeken leidde echter wel tot iets anders.

De Europese oorlog werd een wereldoorlog, vreemd genoeg door de Italiaanse aansluiting. In de zomer van 1940 was er enigszins sprake van dat de Middellandse Zee *mare nostro* werd – onze zee. De Italianen stoorden zich al lang aan de Franse heerschappij over Noord-Afrika en waren naar hun mening nu in de positie om de Britten uit Egypte te verjagen. Als de Britten en de Fransen verslagen waren, konden ze een rijk op de Balkan stichten, ten koste van Griekenland. Ze hadden Albanië en de eilanden in de Egeïsche Zee al veroverd. Mussolini zei tegen zijn minister van Buitenlandse Zaken Galeazzo Ciano, tevens zijn schoonzoon, dat het tijd werd om de strijd aan te gaan met Hitler, ooit zijn leerling. In oktober viel Mussolini aan in Griekenland. Het eindigde in een ramp. De Grieken wisten hoe te vechten in de bergen op de Balkan, de Italianen niet. Zij vroren dood en stierven van de honger. Toen de Italianen een poging deden om Egypte binnen te vallen, eindigde ook dat in een ramp. Wellicht was het een teken dat Churchill niet echt bang was voor een Duitse invasie van Engeland, want hij stuurde de overgebleven tanks naar Egypte. In september trokken er meer dan tweehonderdduizend Italiaanse soldaten richting het oosten. Daar werden ze aangevallen door de briljante Britse generaal Richard O'Connor, die wist hoe hij gebruik moest maken van tanks. (Hij trok om de Italianen in de woestijn heen en viel hen aan vanuit het westen. De Italianen zelf hadden het intussen druk met hun eigen belangrijkste vijand, de rioolwaterzuivering, hetgeen resulteerde in dysenterie en erger.) Vervolgens liet een andere geniale Britse commandant, admiraal Andrew Cunningham, zien waar vliegtuigen toe in staat waren tegen schepen: in november bracht hij in Taranto de helft van de Italiaanse grote, belangrijkste schepen tot zinken. Tot zover geen probleem. Hitler werd echter zowel de Balkan als Egypte in getrokken. Hij had niet veel belangstelling voor Egypte, maar stuurde er wel zijn ondernemendste generaal, Erwin Rommel, naartoe met twee pantserdivisies. Op het moment dat Rommel aanviel, stonden de Britten er zeer zwak voor. O'Connor was tijdens een vreemd incident gevangengenomen, en de andere officieren waren niet van zijn kaliber. Om de zaak nog erger te maken voor de Britten, besloten ze de Grieken te gaan assisteren. Ze verspreidden zich over een veel te groot gebied. Hitler zei aanvankelijk dat hij niets wilde horen van Griekenland, dat 'gezantschap in het zuidoosten'. Maar hij moest wel, met als belangrijkste reden dat hij zeer afhankelijk was van de Roemeense olie, en in oktober 1940 had hij een militaire afvaardiging gestuurd om het land te beschermen tegen een mogelijke Russische of Britse inval. Vervolgens trok hij in april Joegoslavië binnen, waarbij hij gebruikmaakte van bondgenoot Bulgarije. Van daaruit viel hij Griekenland binnen. De Britten schortten hun veldtocht in Noord-Afrika op om Griekenland te hulp te schieten, hetgeen eindigde in een ramp. Het overgrote deel van de RAF zat nog thuis in Engeland, en de Luftwaffe had vijftienhonderd bommenwerpers gestationeerd in het Middellandse Zeegebied. In mei landden er Duitse parachutisten op Kreta en werden dertienduizend Britse manschappen gevangengenomen.

Het Middellandse Zeegebied vormde de achtergrond van Hitlers meest ambitieuze campagne: de aanval op Rusland. Zodra hij zijn aandacht niet meer serieus op Noord-Afrika hoefde te richten, was hij vrij om terug te keren naar zijn originele plan. Rond de jaarwisseling 1940-41 ontstonden er een paar conflicten met de Russen, die in elk geval opheldering behoefden. In september 1940 had Berlijn een overeenkomst gesloten met de

Japanners, hetgeen hen stimuleerde land te veroveren in het Verre Oosten terwijl de Europese rijken daar ineenstortten. De Japanners hadden echter hun eigen conflicten met Moskou, over grensgebieden in Noordoost-China. Om de zaak op wereldschaal bij te leggen, vroeg Hitler in november 1940 Vjatsjeslav Molotov, de Sovjetminister van Buitenlandse Zaken, om naar Berlijn te komen. Hij deed een plan uit de doeken dat Napoleon tsaar Alexander had aangeboden: de USSR kon samen met Italië (in ruil voor Afrika), Duitsland (in ruil voor Europa) en Japan (in ruil voor Oost-Azië) Iran en Brits-Indië krijgen. Molotov wilde echter de Bosporus en de Dardanellen – de verbinding tussen de Zwarte Zee en de Middellandse Zee – hebben, Turkse territoriale wateren, en liet zich niet afschepen. Hij klaagde over de Duitse interventies in Finland en Roemenië, waar Stalin hypergevoelig voor was, omdat dit vijandige buren waren die ook nog eens vlakbij lagen. (De fascisten hadden een coup gepleegd in Roemenië.) Tijdens deze gesprekken vond er een Britse bomaanval plaats. (Churchill grapte later dat dit zijn wraak was omdat hij niet was uitgenodigd.) Omdat Hitler beweerd had dat de oorlog echt voorbij was, vroeg Molotov: 'Als de oorlog voorbij is, waarom zitten we dan hier in deze schuilkelder?' Hij had geen belangstelling voor Hitlers plannen, maar concentreerde zich op Turkije. Molotov was een van de irritantste onderhandelaars ooit: zijn belangrijkste antwoord was 'nee'. Had hij toegegeven aan Hitlers verlokkingen en Iran geaccepteerd in plaats van Turkije, dan was de boel misschien heel anders gelopen. Hoe het ook zij, na het vertrek van Molotov gaf Hitler opdracht tot de voorbereiding van een grootscheepse aanval op Sovjet-Rusland, met als codenaam Barbarossa.

Hitler realiseerde zich dat hij de tijd niet mee had. Integendeel, de Amerikanen waren bezig met de opbouw van een gigantische economie en op de Noord-Atlantische Oceaan al betrokken bij de strijd tegen de Duitse onderzeeboten. Het beste antwoord op de korte termijn was de band met Japan te versterken. Japan zat sinds de ineenstorting van de wereldeconomie in 1929 in de greep van een militaire dictatuur, en had dringend behoefte aan grondstoffen en (afzet)markten. Het hield al vanaf 1931 de Chinese kustlijn bezet, en er waren spanningen met de Amerikanen, die een soort protectoraat voerden over China. Het Anti-Kominternpact was nooit een echt verbond geworden. Maar toen Hitler Europa veroverde, had hij natuurlijk veel te bieden als het ging om de Nederlandse en de Franse bezittingen in Oost-Azië. De Japanners hadden olie nodig en konden dat krijgen uit Nederlands Oost-Indië. Dus tekenden zij in september 1940 het 'Tripartite Pact' (Driemogendhedenpact) met Italië en Duitsland, waarin elk land beloofde de oorlog te verklaren als een van hen werd aangevallen. Hitler had geen behoefte aan Japanse hulp tegen de Russen, maar verwachtte wel van zijn nieuwe bondgenoot dat hij de Verenigde Staten bezighield. Daarop volgden de Japanners zijn logica en sloten een niet-aanvalsverdrag met Moskou – waarna ze genadeloos China bombardeerden en een invasie van Zuidoost-Azië voorbereidden.

Het pact tussen de Japanners en de Russen was een vreemde manier van voorbereiding op de oorlog van Duitsland met Rusland, waarin een Japanse invasie van Siberië van doorslaggevende betekenis zou kunnen zijn geweest. Het was echter niet het enige vreemde aspect van Operatie Barbarossa. Nadat alles helemaal verkeerd was gelopen, ontstond er ruzie over de vraag wie verantwoordelijk was. Toen de operatie gepland werd en in gang werd gezet, had echter bijna geen van de generaals bezwaar gemaakt, terwijl ze dat wel deden voor de aanval op Frankrijk. Omdat hun Führer Frankrijk had verslagen, slikten ze Hitlers eigen mythe en ook die andere, namelijk dat de Sovjets zwak zouden zijn. Wat dat betreft waren ze in goed gezelschap, want bijna iedereen die het kon weten was het ermee eens: de Duitsers zouden winnen en wel binnen tien dagen (de Britse inlichtingendienst), binnen een maand (Stafford Cripps, de Britse ambassadeur), 'waarschijnlijk binnen drie maanden' (het Amerikaanse leger). Stalin dacht waarschijnlijk 'binnen één weekend'. Hij was bang voor een soort militaire coup tegen hemzelf en liet de hoogste officieren binnen het Rode Leger ombrengen, de strategen en de mannen die verstand hadden van militaire techniek. Mannen als de latere maarschalk Konstantin Rokossovski werden de tanden uit de mond geslagen en de tenen gebroken, totdat ze tijdens Operatie Barbarossa werden gered. De algemene indruk in het westen was dat Rusland aan het ineenstorten was. Het land had zogenaamd de landbouw door de kleine boer gerationaliseerd, maar het gevolg was dat acht miljoen mensen de hongerdood stierven. Tot 1952 hadden de Russen niet te eten volgens de standaard van voor de revolutie, voor zover dat daarna wel het geval was. Hitler zou hebben gezegd: 'We trappen de deur in en dan stort het huis vanzelf in.'

De strategie achter Operatie Barbarossa was een lukraak plan waar bijna niemand bezwaar tegen maakte. Hitler was een provinciaal die ver boven zijn natuurlijke niveau uitgestegen was; successen als dit stegen hem naar het hoofd. Een Bismarck of een Churchill kon omgaan met een dergelijk groot succes, Hitler niet. Hij meende onfeilbaar te zijn, dat de 'voorzienigheid' hem beschermde. Hij zou de Duitse Alexander de Grote worden en het tirannieke oosterse rijk ten val brengen. Grote aantallen West-Europeanen boden zich, net als de Griekse stadstaten ten tijde van Alexander, vrijwillig aan om mee te doen: een Spaanse divisie zou buiten Leningrad vechten, er waren Italiaanse, Hongaarse en Roemeense legers, en Nederlandse, Franse en Scandinavische SS-legioenen. Het grote gevaar van de aanval op Rusland was echter dat de aanvallers zouden worden opgeslokt en de weg kwijt zouden raken, omdat het land, in de provincie altijd achtergebleven, onder het communisme helemaal ontoegankelijk werd. Europa had wegen, dorpen, kerken, boerengebruiken, kleine provinciestadjes. Duitse tanks hadden bijgetankt in Franse garages. Rusland, daarentegen, was – zoals Victor Hugo zei over Napoleons terugtrekking uit Moskou – 'de ene witte vlakte na de andere'. Hitler zei echter tegen hen – zonder dat hij daarin werd tegengesproken door de generaals – dat het doel was een noord-zuidlijn ruwweg van Archangelsk naar de Krim. Opnieuw was de economische voorbereiding slecht – door de overwinning van het westen en de zeeoorlog – en werd de levensstandaard in Duitsland niet wezenlijk verlaagd, terwijl de divisies iets zwakker werden: de troepen tegen de USSR hadden nauwelijks meer tanks en vliegtuigen dan in de oorlog tegen Frankrijk. Een pantserdivisie moest bestaan uit zeventienduizend man en ongeveer tweehonderd tanks, met gemotoriseerde infanterie; het aantal tanks werd echter gereduceerd tot honderdvijfentwintig. De Duitse tanks waren doorgaans inferieur aan de middelgrote Russische T-34 en de zware KV tanks, terwijl het geschut een kleiner bereik had en het pantser minder dik was. Hitler had niet gezorgd voor winterkleding of elementaire benodigdheden als antivries. De drie miljoen Duitsers met hun vierendertighonderd tanks (en drieduizend vliegtuigen) werden efficiënt genoeg naar de Poolse en Roemeense grens getransporteerd, en als de Sovjetwaarnemers zich afvroegen wat er gaande was, werden ze afgescheept met een absurd excuus: trainingsoefeningen.

Opmerkelijk genoeg kreeg Stalin de ene waarschuwing na de andere dat de invasie ophanden was. Zijn eigen spion in Tokio wist het; Churchill wist het, door de gedecodeerde Duitse documenten; deserteurs uit het Duitse leger wisten het. Er werd zelfs vernuftig in Zwitserland een zogenaamde communistische spionagegroep – genaamd 'Lucy' [afkomstig van Luzern, toevoeging vertaalster] – opgezet door de Britten, die door de Britten verzamelde informatie doorspeelde. Stalin zou nooit kritiekloos informatie hebben aangenomen van de Britten – hij nam niet eens de moeite om de eindeloze stroom rapporten van de beroemde spionnen van de 'Cambridge Five' te laten vertalen – maar 'Lucy' zou hij wel geloven, dachten de sluwe Britten. Helaas, het mocht niet baten. Er was zijn leven lang maar één man die Stalin vertrouwde, schreef Aleksandr Solzjenitsyn. Stalin wantrouwde Lev Trotski, hij wantrouwde het Politbureau, hij wantrouwde de generaals en hij wantrouwde de schrijvers. De enige man die Jozef Stalin vertrouwde, was Adolf Hitler. De laatste trein met goederen die Stalin Hitler stuurde om hem gunstig te stemmen, reed op 22 juni 1941 om twee uur 's middags met een fluitsignaal over de spoorbrug over de rivier de Bug bij Brest-Litovsk. Om drie uur volgde de aanval. Een deserteur van de communisten, een Duitse soldaat met een communistische achtergrond, zwom de rivier over en waarschuwde de Russen wat er ging gebeuren. Hij werd doodgeschoten. Gezien de troepenverdeling langs de grens betwistte een aantal schrijvers dat Stalin als eerste wilde aanvallen. In feite gebruikte Hitler de Russische troepenbewegingen daar als een excuus om aan te vallen. De vroegere versterkingen van de Sovjets langs de grens waren echter in verval geraakt toen hun grens in 1939 een paar honderd kilometer verder in Polen kwam te liggen. De nieuwe fortificaties waren slecht gebouwd, toch werden de troepen erin ondergebracht. Die actie maakte echter nog iets anders duidelijk: dat Stalin de loyaliteit en competenties van zijn eigen troepen zo laag inschatte, dat hij hen alleen in de allervoorste frontlinie vertrouwde, en wel in grote, logge formaties, met daarachter een cordon van NKVD-troepen, klaar om welke soldaat dan ook neer te schieten die vluchtte in paniek. Dat Stalin zich op de langere termijn moest voorbereiden op een oorlog met Hitler, was duidelijk; dat de revolutionaire militaire doctrine vroeg om aanvallen met veel vlagvertoon, was helder. Stalin verlaagde zich daar op dat moment echter niet tot een aanval.

Toen de aanval kwam, vroeg Molotov aan de Duitse ambassadeur, Werner von der Schulenburg: 'Waaraan hebben we dit verdiend?' Het antwoord was: 'Het enkele feit dat jullie bestaan.' Hitler verwachtte de hele show van de Sovjets te kunnen opdoeken en gaf orders om alle communisten en Joden, die hij verantwoordelijk hield voor het bestaan van het communisme, zonder waarschuwing te laten doodschieten. Het nazisme stond voor de overwinning van de Europese beschaving, en de barbaarse Russen, gemanipuleerd door die slechte Joden, moesten worden uitgeroeid.

Op 22 juni 1941 trok het Duitse leger tussen drie en vier uur 's middags op. De Legergroep Midden, onder bevel van generaal Fedor von Bock, vormde het hoofdleger. Bock was een grote man afkomstig uit een Pruisische militaire dynastie waaruit ook de chef van de generale staf uit de Eerste Wereldoorlog, Erich von Falkenhayn, was voortgekomen. In het begin joeg Bock zelfs Hitler even schrik aan, en kreeg op die manier gedaan wat hij wilde. Dat werd voor de andere generaals steeds moeilijker. De Legergroep Midden moest, met de helft van het aantal troepen, optrekken naar Moskou, grotendeels over vlak terrein. Een kleine zeshonderdvijftig kilometer verderop lag iets op de route wat je een obstakel mocht noemen: de nauwe landengte tussen de grote rivieren de Dnjepr en de Dvina, die respectievelijk naar de Zwarte Zee en naar de Baltische Zee stroomden. Dit was een traditionele invasieroute, en bij Smolensk lag een oud fort. Toen het zover was, werd daar zwaar gevochten. Eerst behaalden de Duitsers echter een grote triomf. Het Rode Leger was superieur in aantallen tanks en vliegtuigen, hoewel een groot deel van de apparatuur was verouderd. Alleen de tanks van de pelotonscommandanten hadden een radio aan boord, de Duitse tanks allemaal. Het allereerste resultaat van de Duitse tactische verrassing was dat er bij zonsopgang meer dan duizend vliegtuigen van de Sovjets op de grond kapot werden geschoten, waarna de Duitsers er onopgemerkt vandoor gingen. De piloten hadden slechts vier uur vliegtraining gehad en waren bang dat als er een ongeluk plaatsvond, ze beschuldigd zouden worden van sabotage, dus boden ze zich niet nog eens aan. De legers waren groot en beschikten over veel materieel, maar waren met duizend tanks elk en zesendertigduizend manschappen te groot voor het commandosysteem en niet in staat te voldoen aan de Duitse wendbaarheid. Ook de meeste korpsen met veel materieel werden al in de eerste week vernietigd.

De Duitse opmars was spectaculair, temeer daar de Duitsers op veel plaatsen, bijvoorbeeld in de stad Lwów (nu Lviv) in het zuidoosten van Polen, door de Oekraïners met groot enthousiasme werden onthaald als bevrijders. De tactische voorbereiding en het werk van de inlichtingendienst waren zeer grondig. Er was meteen verwarring aan Russische zijde, nog eens verergerd doordat er orders van het hoofdkwartier kwamen voor een tegenaanval. Daardoor wisten de divisies niet meer wat ze moesten doen en werden ze neergemaaid. Commandant van de belangrijkste Legergroep West was generaal Dmitry Pavlov. Hij werd ontheven van zijn taak, voor de rechter gedaagd omdat hij schuldig werd geacht aan incompetentie en hoogverraad, en terechtgesteld. Ter linkerzijde van de legergroep van Bock bereikte de pantsergroep van Hermann Hoth onderweg naar Minsk Vilna (nu Vilnius), splitste zich daar op en brak op 25 juni door twee Russische legergroepen heen. Op de zuidflank trok Guderian verder en hij slaagde erin een enorme pocket (afgesloten gebied) te creëren, waarin hij vier Russische legers isoleerde. Hij maakte een tangbeweging naar de rivier de Berezina, die zich daar sloot, waarna de infanterie volgde om de pocket af te grendelen. De Russen verloren hier in minder dan drie weken een half miljoen soldaten, twaalfhonderd vliegtuigen, vijfduizend tanks en tienduizend stuks geschut. De Legergroep Noord behaalde een soortgelijke overwinning, door in twee dagen tijd Litouwen onder de voet te lopen. Een van de korpsen stuurde zijn snelste groep, die de eerste dag tachtig kilometer aflegde om een oversteekplaats van vitaal belang aan te leggen bij een rivier. De Legergroep Zuid was langzamer, want die kreeg te maken met het sterkste onderdeel van het Russische leger. Dat bleek later in het voordeel van de Duitsers te zijn. Gerd von Rundsted, die de Eerste Pantsergroep van Ewald von Kleist runde als in de dagen van de Slag bij Duinkerken, kwam op 11 juli tot op een paar kilometer voor Kiev, maar slaagde er niet in de stad in te nemen. Toen het zover was, leidde deze mislukking tot nog een staaltje catastrofisme van Stalin. In het noorden sloegen de Duitsers op 26 juni een aantal bruggenhoofden over de rivier de Dvina. In het centrum raakten de Russen door bewegingen van pantsertroepen geïsoleerd in enorme pockets bij Bialystok en elders: ze waren afgesneden van de bevoorrading, wisten niet wat er gaande was en werden kapotgeschoten door de Luftwaffe. Op 29 juni gaven tweehonderdnegentigduizend manschappen zich over, hoewel de vesting Brest-Litovsk nog tot 12 juli standhield.

Stalin was een aantal dagen volledig van de kaart en alleen op 3 juli te horen over de radio. Op dat moment was er een centrale verdedigingsautoriteit in het leven geroepen, nadat het Politbureau het zeer voorzichtig had aangedurfd advies te geven. (Toen de mannen aankwamen bij Stalins huis in de voorstad, dacht hij dat ze gekomen waren om zich van hem te ontdoen.) Er vond een opmerkelijke massamobilisatie plaats, waarbij burgers tot de leeftijd van zestig jaar in elk geval werden geacht verdedigingswerken te graven, soms twaalf uur op een dag terwijl ze onder schot werden gehouden, terwijl de meeste weinig nut hadden.

Er was één Rus die slim genoeg was om te begrijpen wat er aan de hand was en sterk genoeg om zijn zenuwen in bedwang te houden: maarschalk Georgi Zjoekov, Stalins probleemoplosser.

Op de een of andere manier – en dat gebeurde maar heel weinig – was er iets in zijn gedrag waardoor Stalin hem niet afblafte, zoals hij met de anderen om hem heen wel deed. Hij had in 1939 ook een opmerkelijke veldslag gewonnen die ontstaan was uit de schermutselingen in de voorhoede tegen de Japanners. Hij wist wat hij deed en zette dat meedogenloos door. De bestaande frontlijntroepen van de Russische Legergroep West – op een lijn langs de goed verdedigbare rivieren de Dvina en de Dnjepr, voordat die Kiev bereikte – moesten gewoon worden opgeofferd. Er was de landengte in de buurt van Smolensk, een positie waarvan de flanken relatief veilig waren. Hier zou halt worden gehouden, waarna achter deze troepen reservetroepen zouden worden opgebouwd, die speciaal uit Siberië zouden komen. Feitelijk waren er zeshonderd Russische divisies met in elk geval enige militaire training. In totaal veertien miljoen man (inclusief de troepen uit Centraal-Azië), twee keer zoveel als de Duitsers hadden verwacht. Bovendien werd tijdens een buitengewoon staaltje van improvisatie een groot deel van de industrie naar de Oeral geëvacueerd. Dat was op 24 juni verordonneerd door N.A. Voznesenski van het Vijfjarenplanbureau, en deze verordonnering betrof de industrie uit het Donetsbekken in de Oekraïne en de benedenloop van de Dnjepr bij Zaporizja, waar de turbines vernietigd waren. Er moesten vijfhonderd bedrijven en vijfhonderdduizend werknemers vertrekken uit de regio rond Moskou, om de wapenindustrie met hydraulische persen van tienduizend ton in staat te stellen te overleven in de Oeral en daarachter, in Kazachstan. Eenmaal daar moesten de fabrieksdirecteuren de productie rationaliseren en goed gebruikmaken van hun machines (hetgeen ook gebeurde met de vliegtuigproductie in Engeland). Wat volgde, was min of meer een wonder.

Zjoekovs inschatting klopte in zoverre, dat er nog een ramp volgde die de Duitsers ophield. De pocket bij Minsk bood verzet, maar viel uiteindelijk toch, en half juli zaten de Duitsers op de landbrug bij Smolensk, het laatste geografische obstakel voor Moskou. Ze waren ook goed op weg naar Leningrad. Vervolgens moesten de Duitsers een belangrijke beslissing nemen: gingen ze naar Moskou – zoals Bock wilde, die de leiding had over de Legergroep Midden – of moesten ze in plaats daarvan naar de grondstoffengebieden in de Oekraïne? Dat laatste zou betekenen dat Guderians pantsergroep naar het zuiden moest trekken. De gesprekken hierover vonden plaats in de context van een versteviging van de Sovjetlinies. Er ontstond strijd om de landbrug hiertussen bij Smolensk, waarbij een Russische tegenaanval bij Yelnya, aan de Dnjepr ten zuiden van Smolensk, redelijk goed uitpakte. Het was de eerste serieuze tegenslag voor de Duitsers. Ondanks het feit dat ze omsingeld waren, hielden de Russen twee maanden stand, waarbij ze de Duitsers dwongen te blijven en te vechten. De Wehrmacht verloor tweehonderddertienduizend manschappen. Bock moest in elk geval stoppen, omdat de maximale actieradius van hun mobiele infrastructuur ongeveer zeshonderdvijftig kilometer was – Smolensk, zo bleek. De tanks en de trucks en hun bemanningen hadden onderhoud nodig en moesten uitrusten, waar in Frankrijk die afstand betekende dat ze tot aan het Kanaal konden komen, langs mooie en goed onderhouden wegen. In de Baltische staten was er op hetzelfde moment ook een pauze, hoewel de bevolking daar – bevrijd van Stalin – zeer behulpzaam was.

De deur was ingetrapt en het huis stortte inderdaad in, maar niet helemaal. De Sovjet-Unie bleek tegen alle verwachtingen in een stevig huis te zijn, zestig keer zo groot als Duitsland. Er werd een maand rust afgekondigd, waarin het leger alle voorraden aanvulde. Tussen Hitler en de generaals ontstond ruzie, de eerste bittere van vele. Zij zeiden: Moskou. Hitler zei dat Moskou er niet toe deed, dat deze oorlog ging om kolen en olie, dat hij Zuid-Rusland wilde hebben. Hitler gaf het bevel om een beweging naar het zuiden te maken, om de Russische legers rond Kiev in de val te drijven. Hij had veel geluk, want Stalin weigerde zijn troepen terug te trekken. Guderians pantsergroep trok naar het zuiden, die van Kleist vanaf Kremenchug naar het noorden. Daarnaast werden op 17 september in een pocket in de buurt van Gomel twee enorme Russische legers vernietigd, waarbij een half miljoen soldaten de dood vond, de grootste overwinning van alleen Duitsland. Dit opende de weg naar het Donetsbekken, de Krim en zelfs de Kaukasus. Kiev viel, waarbij zeshonderdvijfenzestigduizend burgers en soldaten gevangen werden genomen. De Luftwaffe had op droge grond uitstekend samengewerkt met de tanks, en het was de Russen niet gelukt om zich aan te passen. In het zuiden rolden de Duitsers verder naar Kiev: Kleist stak de Dnjepr over, trok richting Rostov aan de Don en sneed (op 6 oktober) in Berdyansk aan de Zee van Azov honderdduizend Russen af. Op 24 oktober viel Charkov, op 20 november Rostov, en de Krim werd overlopen, behalve de vestingstad en haven van Sebastopol aan het kleine schiereiland Kertsj, dat zich uitstrekt tot de noordelijke Kaukasus.

In het noorden bombardeerden de Duitsers rond half september Leningrad, wat het begin was van het martelaarschap van de stad. De Finnen namen vervolgens ook wraak door de stad vanuit het noordwesten te belegeren, vanuit Isthmus en Vyborg op het Karelisch Schiereiland. Leningrad was tegen 15 september afgesneden, en de Duitsers besloten de stad gewoon uit te hongeren. Het gevolg: één miljoen doden, meer dan heel de Britse en de Amerikaanse oorlogsinspanningen bij elkaar. De stad hield het die winter vol door de 'levensweg', een dunne levensader over het Ladogameer, in de buurt van de stad. Ze overleefde uiteindelijk doordat in januari, toen het ijs steeds dikker werd, zowel het aantal evacuaties als de bevoorrading toenam. Wat ook meetelde, was dat de Finnen wisten wanneer ze moesten stoppen. Ze namen terug wat in 1939 van hen was, maar hun leider, maarschalk Carl Gustaf Emil Mannerheim, kende de Russen – hij was generaal geweest in de cavalerie van de tsaar – en zei: 'Als we verder gaan dan dit, vergeven ze het ons nooit.' Leningrad overleefde het voor een groot deel dankzij de Finnen, *chukhontsy*, zoals de Russen hen spottend noemden (een verwijzing naar hun beroemde drinkgewoonten).

Begin oktober 1941 kwam de grote Duitse aanval op Moskou: 'Operatie Taifun'. Guderians pantsergroep trok op in noordelijke richting via Orjol, Brjansk en Toela, tegenwoordig beroemde namen in de militaire geschiedenis van Rusland. De pantsergroep van een andere krijgsheer, Hoth, kwam vanuit het noorden via Vjazma en het napoleontische slagveld bij Borodino. De Duitsers beschikten over bijna een miljoen soldaten, zeventienhonderd tanks en veertienduizend stuks geschut, maar slechts vijfhonderdvijftig vliegtuigen. (De Luftwaffe had zestienhonderddrie vliegtuigen verloren en duizendachtentwintig waren er beschadigd.) Het plan was een gebruikelijke tangbeweging, gericht op Vjazma en Brjansk, en vervolgens vanuit het noorden en zuiden richting Moskou. Het Rode Leger beschikte over één miljoen tweehonderdvijftigduizend soldaten, duizend tanks en zesenzeventighonderd stuks geschut, en nog geen duizend vliegtuigen, maar had nog steeds problemen met de training van de manschappen en de kwaliteit. De twee pantsergroepen drongen door de incomplete verdediging aan de noordzijde heen. Toen ze elkaar troffen bij Vjazma, stuitten ze daar op een enorme pocket. Men ging door met vechten, hetgeen de Fransen een jaar eerder onder soortgelijke omstandigheden niet hadden gedaan, en hield op die manier dertig Duitse divisies bezig. Een aantal daarvan slaagde erin te ontsnappen en bouwde nieuwe linies op bij Mozhaisk, ten westen van de hoofdstad. Bij Brjansk naar het zuiden gold een soortgelijk verhaal: Guderian omsingelde via Orjol het

Rode Leger en nam op 6 oktober, met veel luchtsteun, Brjansk in. Twee Sovjetlegers werden omcirkeld maar gaven zich niet over, en er werd een nieuwe linie opgebouwd bij Mtsensk. Op 7 oktober 1941 kreeg het Duitse offensief te maken met het probleem van de Russische herfst en de modder die deze met zich meebracht. Alles zat vast. Vervolgens konden nieuwe Russische T-34 tanks vanuit een hinderlaag in het bos de Duitse tanks aanvallen, waarna ze de inferieure Panzer IV's vernietigden, die met hun korte 75-mm kanon een T-34 alleen van achteren kapot konden schieten. Half oktober stuitten de Duitsers langs de Mozhaisklinie op serieuze tegenstand. Zjoekov kwam nu vanuit Leningrad om de leiding op zich te nemen van de verdediging van een Moskou in oproer.

Dat was de beroemde paniek van Moskou, die zich vastzette in het onbewuste van iedereen die ermee te maken kreeg. De communistische partij, de generale staf en de regering vertrokken met speciale treinen naar Samara aan de Wolga. Daar werd geplunderd, en in de nieuwe appartementsgebouwen in het centrum spande de leiding samen met de plunderaars, totdat de NKVD arriveerde en schoot. Stalin bleef met zijn bestuur in de stad, zodat hij op 7 november een grote parade kon afnemen ter gelegenheid van de vierendertigste verjaardag van de revolutie. Op 13 oktober bereikten de Duitsers de linie die liep van Kalinin (Tver genaamd toen Modest Moessorgski zichzelf daar dood dronk) naar de steden Volokolamsk, een kleine honderddertig kilometer ten noordwesten van Moskou, en Kaluga, ongeveer honderdvijfenveertig kilometer ten zuidwesten van de hoofdstad. Moskou zelf veranderde in een vesting, terwijl vrouwen en jongens tonnen aarde weg schepten zonder enige machinale hulp; vervolgens werd de stad aangevallen vanuit de lucht. De Duitsers probeerden om deze verdedigingswerken heen te trekken en slaagden daar goed in omdat de bodem harder werd. De industriestad Toela, ruim honderdnegentig kilometer ten zuiden van Moskou, hield echter stand, en op 18 oktober vielen ze de Mozhaisklinie aan, waarna ze op 27 oktober Volokolamsk innamen. Het weer telde nu echter mee, want het werd een avontuur om ervoor te zorgen dat een motor het deed. De problemen met de bevoorrading waren dus enorm: het gebrek aan winterkleding was echt een punt, omdat de temperatuur daalde en het aantal bevriezingen toenam. Slechts een derde van hun motorvoertuigen deed het nog, en nog maar een derde van de infanteriedivisies was inzetbaar. Zeshonderdduizend sterke Duitse paarden raakten ernstig verzwakt of stortten in en gingen dood.

Op 15 november 1941 bevroor de grond en begon de ultieme test. Twee Duitse pantsergroepen werden ingezet om de hoofdstad vanuit het noorden te omsingelen, en een pantsergroep in het zuiden zou via Kolomna aansluiting zoeken met de noordelijke tanghelft, ten oosten van Moskou. De tangbeweging lukte, even, en officieren zagen met een verrekijker in de verte de ondergaande zon weerkaatsen op de gouden koepels van de gebouwen van het Kremlin. De Duitsers bereikten Yasnaya Polyana – het landgoed van Leo Tolstoi, zestien kilometer buiten Moskou – maar Toela zelf hield nog stand, zodat Guderian er niet in slaagde vanaf die kant dicht bij Moskou te komen. Vanwege het verzet zowel ten noorden als ten zuiden van Moskou probeerde Bock een directe aanval uit te voeren vanuit het westen, maar omdat hij over te weinig tanks beschikte, doofde deze langzaam uit. In Chimki, onderweg naar het vliegveld van Moskou, staat tegenwoordig een gedenkteken in de vorm van een enorme tankval. Verder kwamen de Duitsers niet: tot op vierentwintig kilometer van het Kremlin. Op 5 december 1941 vielen Sovjettroepen uit Siberië, getraind voor een winteroorlog, de Duitse troepen aan die voor Moskou lagen. Deze troepen werden naar het westen gestuurd toen duidelijk was dat de Japanners hun plechtige belofte aan de Sovjet-Unie gestand zouden doen en niet die aan Hitler – een van de meest cruciale beslissingen tijdens de oorlog. Elders zaten echter ook al reservetroepen, en de veldtocht op Moskou was voorbij. Tegen januari 1942 hadden de Sovjets de Duitsers op een aantal plaatsen ruim driehonderdtwintig kilometer teruggedrongen, en de Duitsers waren duidelijk ernstig verzwakt. Ze hadden zevenhonderdvijftigduizend manschappen verloren, die voor het grootste deel niet werden vervangen. Toen op 30 november een tegenaanval van de Sovjets bij Rostov in het zuiden de omsingeling bedreigde, trok de commandant van de Legergroep Zuid, Rundstedt, zich terug naar de rivieren de Mius en de Donets, een positie die later beroemd werd: de Duitsers waren langs de hele linie in het defensief. Aan het front in het noorden werden ze teruggedrongen vanaf Tichvin op de zuidkust van het Ladogameer, en zo was er een zeer nauwe verbinding open naar Leningrad.

Aan het begin van de harde winter was de Duitse positie vreselijk. Het bestaande spoorwegsysteem van de Sovjets, om te beginnen zeer slecht onderhouden, functioneerde zeer inefficient. De olie die werd gebruikt om de lichte Schmeissermitrailleurs mee te smeren, bevroor. De Duitse winteruniformen waren achtergelaten in Polen omdat ze anders vitale ruimte in beslag zouden nemen; op 20 december deed Goebbels dus een beroep op de Duitse bevolking om de soldaten warme kleren te sturen. Een dag eerder had Hitler de commandant van het leger, veldmaarschalk Walther von Brauchitsch, ontheven van zijn taak. Brauchitsch kreeg de schuld dat hij Moskou niet had ingenomen. Vanaf dat moment leidde het oppercommando van het leger op bevel van Hitler de oorlog tegen de Russen vanuit Zossen, buiten Berlijn. De Duitsers zaten al bijna in de Kaukasus en hadden zich ook een weg geschoten naar de Krim. De inval in de noordelijke Kaukasus en een groot deel van de noordoostkust van de Krim lag nu ook in handen van de Duitsers. De bevoorradingslijnen daar naartoe waren in de winter echter zeer slecht, en het Russische leger controleerde de Zwarte Zee, zodat zelfs een zeeroute vanuit Constanţa in Roemenië niet goed werkte voor de Duitsers. Bovendien slaagden de Russen er op dat moment in een evacuatie van het type Duinkerken van Odessa naar Sebastopol op de westelijke Krim te organiseren.

Gezien alle enorme opmarsen op de kaart waren de Duitsers in groot gevaar, en een aantal generaals stelde voor dat ze zich helemaal terug zouden trekken tot Polen. Dat was echter niet Hitlers stijl. Wellicht dacht hij dat als ze een begin zouden maken met de terugtrekking, dat in de eerste plaats vreselijk moeilijk zou zijn – nog moeilijker dan voor de legers van Napoleon, die in elk geval nog in oktober waren begonnen – en zou leiden tot paniek. Hij gaf de troepen opdracht te blijven waar ze waren: in de verdediging, op hun versterkte posities die konden worden bevoorraad vanuit de lucht. De Russen vielen deze steeds opnieuw aan, plaatselijk met succes, maar het resultaat bewees Hitlers gelijk: de pockets hielden inderdaad stand en de Russen betaalden een hoge prijs. In het voorjaar boekten de Duitsers nog steeds goede vooruitgang: ze omsingelden Leningrad, bedreigden Moskou vanuit Rzjev – slechts honderdzestig kilometer verderop – en hielden vervolgens een linie ruwweg langs de rivier de Dnjepr, helemaal tot in het oosten en tot op de Krim. Het zou een vreselijke oorlog worden van wereldwijde afmetingen.

Hoofdstuk 4

Pearl Harbor
en
Noord-Afrika

*Churchill legde zijn hoofd
in zijn handen en riep:
'Is er dan nergens een
generaal te vinden die
een veldslag kan winnen?'*

*De Duitse generaal Erwin Rommel
bezoekt in 1942 een provisorisch Brits
krijgsgevangenenkamp in Tobroek (1942).*

De verbazingwekkende nederlaag van de Duitsers bij Moskou vond bijna tegelijkertijd plaats met een ander groot conflict aan de andere kant van de aarde, waar de Japanners vanuit het niets een spectaculaire aanval uitvoerden op de Amerikaanse basis Pearl Harbor op Hawaï, midden in de Grote Oceaan. Daar ging heel wat aan vooraf: Japan was het eerste niet-Europese land dat een Europese marine versloeg – de Russische, in 1904 – en dacht nu van de weeromstuit een wereldrijk te kunnen besturen. Hoewel het land niet over grondstoffen beschikte, paste het zich slim aan en nam het een groot aantal markten in Azië over die eerst door het westen werden beheerst. Later, tijdens de Grote Depressie, viel Japans grote buur China uiteen tijdens een strijd tussen de Japanners, de communisten en de republikeinse nationalisten. De Japanners bezetten Peking en de handelshavens, en haalden zich daarmee de vijandigheid van de Verenigde Staten op de hals, voor wie de opendeurpolitiek (vrije handel en non-interventie) cruciaal was. Een van de redenen van de onbuigzame houding van de Amerikanen was het brute optreden van de Japanners in China: Japan beschouwde zich als superieur, een nabootsing van de praktijken van bepaalde landen in Europa. De Japanners waren berucht om hun wreedheid, vijfduizend Amerikaanse missionarissen maakten er melding van. (Pearl Buck, de dochter van een missionaris, romantiseerde in haar boeken het Chinese boerenleven en kreeg daarvoor enigszins discutabel de Nobelprijs voor de Literatuur.) De Japanners duldden geen kritiek, en de Amerikanen dreigden met sancties. Japans zwakke punt was [het gebrek aan] olie; in 1940 maakten ze daarom gebruik van de ineenstorting van Frankrijk en Nederland en stuurden hun troepen naar Frans-Indochina en naar het olierijke Nederlands Oost-Indië (het tegenwoordige Indonesië). Het gevolg was een enorme vijandschap tussen Japan en zowel Groot-Brittannië als de Verenigde Staten, die allebei Japan een olie-embargo oplegden en de

Japanse tegoeden bevroren. Met het niet-aanvalsverdrag tussen Japan en de Sovjet-Unie als steun in de rug, ging Japan verder met zijn oorlogsplannen de US Navy in Pearl Harbor lam te leggen, de eilanden Guam en Wake te veroveren, olie uit Nederlands Oost-Indië en de Filipijnen (vanaf 1898 Amerikaans grondgebied) te halen en de Britten van hun marinebasis in Singapore te verdrijven. Vervolgens wilden ze een Japanse Commonwealth in het leven roepen (bizar genoeg gepresenteerd als een 'gezamenlijke welvaartssfeer'), waar het westen zich niet mee zou kunnen bemoeien. Natuurlijk begrepen de Japanners – een aantal leiders kende de Verenigde Staten en Groot-Brittannië rechtstreeks – dat ze het risico liepen zelf te worden verpletterd. Gezien hun vreemde traditie van raciale trots en de goddelijke status van hun keizer zagen ze echter geen alternatief. Daarnaast dachten ze gewoon dat er een kans was – hoe klein ook – dat ze zouden winnen.

Op 7 december 1941 voerde Japan een imposante verrassingsaanval uit op Pearl Harbor. Japan trok veel voordeel uit het feit dat de leiding van de basis nogal onachtzaam was en dacht dat het zo'n vaart niet zou lopen: de vliegtuigen stonden keurig in een rijtje aan de grond en konden gemakkelijk worden gebombardeerd, het luchtafweergeschut was onbemand, de munitiedepots zaten op slot, niemand wist waar de sleutels waren. Gelukkig waren alle drie de Amerikaanse vliegdekschepen weggestuurd om een ander eiland te beschermen dat kon worden gebruikt voor de vliegtuigen, maar verder was de schade groot: acht Amerikaanse slagschepen werden buiten gevecht gesteld en vierentwintighonderdtwee Amerikanen werden gedood. De Japanners gokten erop dat de Verenigde Staten, geconfronteerd met een plotselinge grote nederlaag, zouden instemmen met onderhandelingen voor een overeenkomst waarmee Japan de vrije teugel kreeg in China. Admiraal Isoroku Yamamoto zelf, held van de operatie, vond de aanval niet zo'n goed idee. Hij kende de Amerikanen en begreep dat ze, na de eerste chaos en verwarring, terug zouden slaan en deze vernedering nooit zouden vergeven. De Amerikaanse verliezen waren in elk geval minder groot dan aanvankelijk werd gedacht: de Amerikaanse vliegdekschepen waren veel belangrijker dan de slagschepen, en de vitale marine-infrastructuur (de olietanks en de scheepswerf), de onderzeeboten en de apparatuur waarmee de inlichtingendienst signalen opving, raakten niet beschadigd omdat de Japanners zagen dat de vliegdekschepen er niet waren, bang waren voor een tegenaanval en er te vroeg weer vandoor gingen.

De eerste helft van 1942 vonden er nog meer Amerikaanse en Britse rampen plaats in de Pacific. Churchill was een ouderwetse imperialist en vastbesloten om te laten zien hoe sterk hij was. Hij wist hoe belangrijk 'prestige' was bij de instandhouding van het [Britse] rijk in Azië, het uitzonderlijke en vaak instinctieve zelfvertrouwen dat nodig was om het Indische rijk van vierhonderd miljoen zielen te besturen met zestigduizend Britten en een leger dat hoofdzakelijk bestond uit Indische soldaten. Hij stuurde twee grote oorlogsschepen naar de Indische Oceaan als een demonstratie van macht, maar ze werden aangevallen vanuit de lucht en tot zinken gebracht. Vervolgens gebruikten de Japanners Thailand en Indochina voor de invasie van Malakka, en de Amerikaanse luchtmachtbases op Guam en Wake werden ook aangevallen door de [Japanse] marine. Op 1 januari 1942 zorgde een verklaring van de Verenigde Naties (de eerste keer dat deze term werd gebruikt) ervoor dat er een door de Britten gecontroleerd opperbevel in Zuidoost-Azië kon worden opgezet. De Japanners legden deze verklaring echter naast zich neer en veroverden Manilla op de Filipijnen en een groot deel van Nieuw-Guinea. Met de val van Singapore op 15 februari 1942 was de ramp compleet. Singapore was al meer dan een eeuw Brits bezit, een winstgevend handelscentrum. Toen de Japanners er op 8 februari binnenvielen, waren er meer dan honderddertigduizend man Britse troepen om de stad te verdedigen, vijf keer meer dan het leger van de binnenvallende Japanners. De Britten hadden echter geen tanks, de Japanners tweehonderd, en de Japanse overmacht in de lucht was overweldigend. Na de overgave werden er ongeveer tachtigduizend krijgsgevangenen – Britten, Australiërs en Indiërs – afgevoerd; hun wachtte een zeer wreed lot van dwangarbeid en de hongerdood.

Eind februari en begin maart 1942 lanceerde de Japanse marine een bliksemaanval in de Indische Oceaan, met aanvallen op Ceylon, en veegde alles en iedereen weg. Ze brachten een Brits vliegdekschip tot zinken en de Britten hielden hun schepen wijselijk weg uit de Indische Oceaan. De Japanners vielen ook Birma binnen. De bedoeling van deze manoeuvre was om de bevoorradingslijn naar de nationalistische Chinezen door te snijden, die de Japanse plannen hadden verijdeld en nog steeds standhielden. De Amerikanen hielpen met militaire adviseurs, vliegtuigen en voorraden die met karren werden vervoerd langs de Birmaweg. De Britten wilden aanvankelijk hun kolonie behouden, maar er waren te weinig troepen, de Birmanen waren onbetrouwbaar en de Japanners beheersten in 1942 het luchtruim. Ze dwongen de Britten zich terug te trekken, een zestienhonderd kilometer lange zwoegtocht door zeer moeilijk begaanbaar terrein. In mei kwam er bij de Indische grens een einde aan deze tocht, omdat de moesson begon en de Japanners niet verder konden. De nationalistische Chinezen werden afgesneden, behalve een zeer riskante bevoorradingslijn door de lucht over de Himalaya. Niettemin slaagden de Britten erin ongeveer drie vijfde deel van het Japanse leger eronder te houden. Zoals Antony Beevor terecht schrijft: 'Het conflict tussen China en Japan was lange tijd min of meer een ontbrekend deel in de puzzel van de Tweede Wereldoorlog.'

Op andere plekken was er geen beginnen aan het Japanse

tij te keren. De beroemde Amerikaanse generaal Douglas MacArthur zei dat hij wilde proberen de Filipijnen te behouden,
maar de meeste van zijn vliegtuigen werden al kapotgeschoten
toen ze nog op de grond stonden. In maart kreeg MacArthur te
horen dat hij kon vertrekken. Hij had in 1937 ontslag genomen
uit het leger, werd daarna militair adviseur van het 'Commonwealth Government of the Philippines', en werd in 1941 teruggeroepen in actieve dienst. Hij kneep ertussenuit naar Australië,
maar sprak veelbelovend de beroemde woorden: 'Ik kom terug.'
De tachtigduizend soldaten die hij onder zich had, hielden tot
8 mei stand op het eiland Corregidor in de Baai van Manilla. In
Australië was er grote ongerustheid over de plotselinge ineenstorting van de Amerikaanse en Europese rijken. Japan, een eiland-
staat voor de kust, maakte een enorme expansie door. Japanse
troepen beheersten grote delen van China, bedreigden Brits-Indië, en de Japanse marine controleerde met een aantal eilanden
in de Pacific als basis of bastion een groot deel van de zee. Rabaul, op het eiland Nieuw-Brittannië in Territorium Nieuw-Guinea [Australisch grondgebied, toevoeging vertaalster], werd hun
belangrijkste marinebasis, maar de Japanners verspreidden zich
ook over de Salomonseilanden, legden een vliegveld aan op Guadalcanal en maakten effectief gebruik van de op de Amerikanen
veroverde eilanden Guam en Wake.

De Britten bevonden zich in een zeer kwetsbare positie. Het
was duidelijk dat hun heerschappij in Brits-Indië voorbij was; ze
konden er niet van weglopen maar het land ook niet adequaat
verdedigen. Toen hun prestige gebroken was, in Singapore en elders, werd Brits-Indië moeilijk bestuurbaar. De inzet die nodig
was om Japan te weerstaan, betekende dat de oorlogsinspanning
elders verminderde. In de loop van 1942 kreeg Groot-Brittannië
dan ook te maken met een aantal van de ergste rampen. Feit was
dat de Britten veel te veel hooi op hun vork hadden genomen.

Hun rijk was heel anders dan dat van de rest: hoe kon een eiland in het noordwesten van Europa in vredesnaam een kwart van het landoppervlak op aarde besturen? Dat kon niet zonder steun van de Amerikanen, en daar gokte Churchill ook op. De aanval op Pearl Harbor had tot gevolg dat Amerika nu wel bereid was bij te dragen aan de Britse oorlogsinspanning. Tot dan toe vierde het isolationisme hoogtij: het Congres had in de jaren dertig de 'Neutraliteitswet' uitgevaardigd, die een verbod inhield op de verkoop van wapens aan agressoren. In december 1940 verklaarde president Roosevelt echter – met de inval van Hitler in Polen in zijn achterhoofd – dat Amerika het 'wapenarsenaal van de democratie' zou worden. Zijn doel was om de Britten te helpen zonder zelf deel te nemen aan te oorlog. Hij ontwierp de 'Lend-Lease Act' (de Leen- en Pachtwet), die in maart 1941 werd goedgekeurd door het Congres. Met deze wet kon de regering 'het eigendomsrecht van welk defensiemateriaal dan ook overdragen, verkopen, uitruilen, verhuren, uitlenen of op een andere manier van de hand doen' aan andere landen. Eerst aan Groot-Brittannië (maart), vervolgens aan China (april) en tot slot aan de Sovjet-Unie (oktober). Vervolgens stapte Amerika in december in de oorlog.

Het belangrijkste doel van de geallieerden was nu de controle over de Atlantische Oceaan, zodat Amerikaanse troepen en voorraden konden worden overgevaren. Toen de Amerikanen uiteindelijk in juli 1942 vanuit hun territoriale wateren in konvooi gingen varen, richtte marinecommandant Karl Dönitz zich met zijn U-boten op de Noord-Atlantische Oceaan. Hij had er genoeg om een lange linie mee te vormen, en soms vielen er wel vijftien boten aan. Geallieerde jachtvliegtuigen konden vanaf Britse bases in westelijke richting vliegen of vanaf Amerika in oostelijke richting om de konvooien tegen de U-boten te beschermen. Natuurlijk moesten de vliegtuigen wel zuinig omspringen met hun brandstof en altijd genoeg overhouden om terug te keren naar de basis vanaf waar ze vertrokken. Jachtvliegtuigen hadden in die tijd slechts genoeg brandstof om het konvooi een gedeelte van de reis te kunnen beschermen. Een bepaald gebied, de 'Mid-Atlantic Gap', bleef onbeschermd. Daar waren de geallieerde konvooien het kwetsbaarst en vonden de meeste aanvallen door U-boten plaats. Alleen al in oktober 1942 werden er tussen Groenland en IJsland zesenvijftig schepen met een lading van in totaal twee-honderdvijftigduizend ton tot zinken gebracht in een gebied dat niet gedekt werd door geallieerde vliegtuigen. Aan de andere kant werden er veel meer U-boten tot zinken gebracht: van augustus tot september zonken er zestig, één op elke tien koopvaardij-schepen, tegen één op elke veertig daarvoor. De Britse admiraal Max Horton – opperbevelhebber van de Western Approaches, het rechthoekige gebied voor de westkust van Groot-Brittannië tot ver op de Atlantische Oceaan – organiseerde een aantal reser-ve-escorteboten, die waar nodig werden toegevoegd om op on-derzeeërs te jagen. Als hij meer vliegtuigen tot zijn beschikking had gehad, had hij het een stuk beter kunnen doen. Er werd een nieuwe tactiek toegepast: een escorteboot bleef net zo lang boven een onderzeeboot liggen totdat de lucht op was. De ouderwetse aanvallen met dieptebommen waren lomp en vertroebelden het water, maar vaak genoeg werden er ook Hedgehog dieptebom-men gebruikt, die ontploften bij contact, terwijl de Squid mortie-ren een groter bereik hadden. (Gezamenlijk joegen ze een kwart van de U-boten naar de bodem van de zee.) Vervolgens kwam er nog een ingenieuze uitvinding: de Leigh Light. Dit zoeklicht ging 's avonds automatisch aan zodra een vliegtuig radarcontact had met een onderzeeboot aan het wateroppervlak (waar hij sneller kon varen en de batterijen kon opladen) en verlichtte het doel. De onderzeeboten werden aangevallen vanuit het niets en tot zinken gebracht. Hetzelfde resultaat had de centimetrische radar, die kon worden meegenomen in een vliegtuig en niet waarneembaar was voor het slachtoffer, dat totaal onverwachts werd vernietigd. Vanaf februari 1942 werden de Britse decodeerders tien maanden lang verslagen doordat er een upgrade kwam van de Enigma. De U-boten konden grotendeels ongehinderd doorvaren. De Duitsers lazen de Britse boodschappen in geheimschrift en wisten waar de konvooien zich bevonden; de Britten konden echter niet de boodschappen van de Duitsers lezen. Op 30 oktober 1942 hadden de geallieerden geluk: Britse zeelui kregen met veel vertoon een U-boot te pakken die in het oostelijke Middellandse Zeegebied aan de oppervlakte was gekomen; ze gingen aan boord van het kapotte vaartuig en namen alles mee wat ze konden vinden. De meegebrachte spullen hielpen mee het verloop van de oorlog te veranderen. De Britten vonden de nieuwe sleutels van de Enigma en de codeboeken die de Duitsers gebruikten om hun boodschappen te ontcijferen. Al snel nadat de Enigma was gekraakt (door Alan Turing, die geniale tovenaar uit de begintijd van de computer), slaagde de Britse admiraliteit erin de posities van de U-boten in kaart brengen, waardoor de konvooien over de Atlantische Oceaan die voorraden van Noord-Amerika naar Groot-Brittannië en de Sovjet-Unie brachten, ongedeerd hun bestemming konden bereiken. Tegen december 1942 waren de verliezen veel kleiner. Bovendien viel toen de winter in. Maar in het voorjaar begon de strijd om de konvooien opnieuw, en nu waren er zo veel onderzeeboten op patrouille dat de konvooien nauwelijks aan detectie konden ontkomen. In maart werden er tweeëntachtig schepen (vierhonderdzesenzeventigduizend ton lading) in de Atlantische Oceaan tot zinken gebracht, tegenover twaalf U-boten. Een tijdlang hadden de Britten een serieus bevoorradingsprobleem, maar die situatie veranderde: in april werden er slechts negenendertig schepen (tweehonderdvijfendertigduizend ton lading) tot zinken gebracht, tegenover vijftien U-boten. In mei was er een dramatische ommekeer: de slag om een langzaam konvooi, de Outbound (North) Slow ONS 5 – bestaande uit drieënveertig koopvaardijschepen, geëscorteerd door zestien oorlogsschepen – dat aangevallen werd door dertig U-boten. Dertien koopvaardijschepen gingen verloren, deels doordat het konvooi uiteenviel tijdens een storm, zes U-boten werden echter door een escorteboot of vliegtuig tot zinken gebracht. Slow Convoy SC130 bracht vijf U-boten tot zinken maar verloor zelf geen enkel schip. In mei werden er in totaal drieënveertig U-boten vernietigd, vierendertig op de Atlantische Oceaan – een kwart van de operationele sterkte. De geallieerden verloren vierendertig schepen (honderdvierendertigduizend ton lading). De belangrijkste reden daarvoor was, dat de Mid-Atlantic Gap nu gedicht werd door nieuwe vliegtuigen – B-24 Liberators – die veel grotere afstanden konden afleggen, en ook door koopvaardijschepen die vliegtuigen konden vervoeren, of escorterende vliegdekschepen die meevoeren met de konvooien. Portugal stond de geallieerden ook toe gebruik te maken van hun vliegvelden op de Azoren, en het RAF Coastal Command bracht (na april 1942) meer U-boten tot zinken dan enige andere dienst van de geallieerden de afgelopen drie oorlogsjaren. In 1943 gingen er tweehonderdachtenvijftig U-boten verloren, negentig werden er tot zinken gebracht door het Coastal Command, eenenvijftig raakten er beschadigd. Dit betekende dat Engeland nu waarschijnlijk kon worden gebruikt voor een Amerikaanse invasie van West-Europa, waar Stalin al een tijdje op aandrong.

In de jaren 1941 en 1942 kenden de geallieerden zo hun ups en downs. De positie van de Britten in Zuidoost-Azië stortte ineen, en die in de rest van de wereld leek wanhopig, behalve in Noord-Afrika. Daar bouwden de Britse strijdkrachten een zestienhonderd kilometer lange spoorweg van El Alamein in de buurt van Alexandrië naar Tobroek in Libië, door kale woestijn. Op 22 januari 1941 bevrijdden ze de vesting Tobroek, die bezet werd door Italië. Vervolgens kregen ze echter problemen met de bevoorrading, zelfs die van water, en de Italianen en de Duitsers zetten een tegenaanval in. Het Achtste Leger van de Britten bereidde een aanval voor op de regio Cyrenaica in Oost-Libië, waar ook Tobroek ligt: 'Operatie Battleaxe' of de Slag om Sollum. De troepen die bij deze actie betrokken waren, bestonden uit honderdduizend man soldaten, achthonderdnegenenveertig tanks en zeshonderdvier vliegtuigen, tegen een paar minder [aan de andere kant]. De Britten hadden zorgvuldig een groot aantal mijnenvelden aangelegd om een eventuele aanval van pantservoertuigen te stuiten. Daarnaast arriveerde er goed nieuw materiaal: Grant tanks, met een pantser en een kanon dat de Panzer IV tanks kon weerstaan in plaats van kapotgeschoten te worden (het zesponds kanon deed niet onder voor de Duitse 50-mm Pak 38).

Erwin Rommel, de 'Woestijnvos', was de grote tegenstander van de geallieerden in Noord-Afrika. Hij had charisma, werd aanbeden door zijn manschappen en slaagde er zelfs in om het belangrijkste Britse wapen – de Ultra – onschadelijk te maken. Hij negeerde de instructies van het opperbevel in Rome en overrompelde de Britse inlichtingendienst volledig. Tegelijkertijd was hij in staat het lokale radioverkeer in Noord-Afrika af te luisteren; hij wist dus wat hij moest doen. Op 26 mei 1942 vond hij een zwakke plek en liep zelfs het hoofdkwartier van een pantserdivisie onder de voet. De Britse gewapende brigades kwamen een voor een in actie, zonder de steun van antitankgeschut of gemotoriseerde infanterie, die de Duitsers wel hadden. Rommel maakte ook ingenieus gebruik van de Britse mijnenvelden en had een scherm van antitankgeschut neergezet, waardoor zijn geniesoldaten ongezien de mijnenvelden onschadelijk konden maken. Intussen voerde de Britse generaal Neil Ritchie, een goede stafofficier, in slow motion het bevel en voerden eenheden zonder enige vorm van samenwerking strijd. Die werden op hun beurt allemaal verslagen. Toen Rommel met een flankbeweging richting de woestijn om de zuidflank heen trok, zette hij de statische Britten vast tegen hun eigen mijnenvelden. Aan de zuidkant deden de Vrije Fransen het goed bij Bir Hakeim, een teken dat de Fransen zich herstelden. (Een metrostation in Parijs herinnert aan deze slag.) Rommel slaagde er echter in door te breken, en de tanks vielen van drie kanten aan. Overal bleven er kapotgeschoten tanks achter, die de Britten beter hadden kunnen verzamelen voor hergebruik, maar dat deden ze niet.

Het Achtste Leger viel terug tot de Egyptische grens, waardoor Tobroek geïsoleerd achterbleef. De vesting was verzwakt, de mijnen waren verwijderd om de versterkte posities of bunkers te kunnen bouwen, waar de Britten afhankelijk van waren. Eindeloze bombardementen, enorme stofwolken en de onervarenheid van de troepen veroorzaakten de val van Tobroek, met als gevolg enorme hoeveelheden achtergebleven voorraden en vijfendertigduizend gevangenen (21 juni). Churchill was in Washington; Roosevelt was zo aardig hem te informeren en bood meteen hulp aan. De Amerikaanse attaché in Caïro stuurde vernietigende rapporten over de Britse inefficiëntie, die gedecodeerd werden door de Italianen: in deze omstandigheden maakte Rommel zich gereed voor een verdere opmars, nu met behulp van de buitgemaakte voertuigen en brandstof.

Na de val van Tobroek in juni 1942 was er nog een groot gevecht aan de Egyptische grens. De Britten hadden nog maar honderd tanks en waren de helft van hun artillerie kwijt. Zelfs nu regeerde de krachteloze voorzichtigheid volgens het boekje wat betreft de defensieve systemen: de troepen werden statisch in hun bunkers gezet, waar mijnenvelden omheen lagen die Rommel makkelijk kon omzeilen. Maar de Britten hadden van hun fouten geleerd. Hun commandant, Sir Claude Auchinleck, bemoeide zich ongevraagd met de gang van zaken – uiteindelijk verving hij generaal Ritchie, fatsoenshalve wilde hij hem niet ontslaan – en zorgde ervoor dat de troepen mobiel werden. Hij was echter te laat en er ontstond nog meer verwarring. Vervolgens stond Auchinleck, die veldmaarschalk was, triest en in zijn eentje in zijn slobberbroek langs de kant van de weg te kijken hoe zijn leger zich terugtrok naar het dichtstbijzijnde punt dat gemakkelijker verdedigd kon worden. Vanaf dat moment ging de leercurve van het Britse leger omhoog. Het gebeurde bij het spoorwegstation in het mediterrane stadje El Alamein (dat 'twee vlaggen' betekende, de Britse en de Egyptische). El Alamein was het smalste front waar ze moesten standhouden, een kleine vijfenzestig kilometer troosteloze woestijn met twee kleine heuvels die doorgingen voor 'heuvelrug'. Vanaf daar kon de omgeving worden geobserveerd en een zekere dekking worden geboden. Bij een grote kom – een gebied van brak moerasgebied, ongeschikt voor militaire doeleinden of wat dan ook – hield de woestijn op. Men kon er in zuidelijke richting omheen, maar daar was de Sahara, ongeschikt gebied voor tanks. De positie bij El Alamein had reeds versterkte bunkers, de meeste vlak in de buurt van het spoorwegstation, met prikkeldraadrollen. Er heerste een sfeer van paniek toen de Britse vloot vertrok uit Alexandrië en de staf van het hoofdkwartier de papieren verbrandde. Mussolini liet een witte schimmel klaarmaken voor zijn intocht in Caïro; op 30 juni naderde Rommel El Alamein. Zijn troepen waren echter uitgeput, ze hadden veel manschappen verloren, en de watervoorziening was een probleem. Auchinleck had in Irak een Indische brigade bijeengeschraapt, met beter antitankgeschut, en de RAF was superieur in de lucht. Al snel had Rommel nog maar zevenendertig tanks, en zijn drie Duitse divisies telden minder dan tweeduizend manschappen elk. Bovendien kreeg hij steeds minder voorraden vanuit Italië: vijfduizend ton in juni en juli tegen vierendertigduizend in mei. De frontoorlog doofde langzaam uit, en een tegenaanval leidde ertoe dat een van Rommels belangrijkste hulpmiddelen, zijn signaalontvangers, werden buitgemaakt. Churchill was tijdens de veldtocht in Noord-Afrika ontzettend lastig. Hij stuurde dwingende telegrammen, eiste actie en de overwinning op het moment dat de commandanten in het veld met grote moeilijkheden te kampen hadden. Uiteindelijk kwam hij naar Caïro en ontsloeg Auchinleck. Diens uiteindelijke opvolger, Bernard Montgomery ('Monty'), was scherp, ijdel en een man van het eindeloze detail. Hij nam de moeite om zich voor te stellen aan de manschappen en boezemde zelfs Churchill ontzag in. Die accepteerde van Montgomery een bepaalde mate van zorg en voorbereiding die hij niet getolereerd had bij zijn voorgangers. Vroegen ze daar wel om, dan werden ze ontslagen. Montgomery had dus een grote overmacht aan manschappen en materieel, maar hij nam de tijd en wachtte tot de aanvoerlijnen naar behoren functioneerden en hij kon beschikken over een overmacht in de lucht. Niettemin was er eindelijk een aanzienlijke Britse overwinning ophanden.

De ligging van El Alamein was echter in het voordeel van Rommels verdediging, hoewel hij over minder tanks en vliegtuigen beschikte dan Montgomery. Hij liet mijnenvelden leggen met een half miljoen mijnen, waarvan een deel opgegraven was in Tobroek. Daarnaast waren de Italianen meesters in nepmijnenvelden. Er was geen sprake van een omsingeling van de flanken – waarbij de flanken van de vijand werden aangevallen en deze vervolgens werd ingesloten – dus moest er een doorbraak komen. Niettemin was Montgomery met tweehonderdtwintigduizend manschappen en elfhonderd tanks superieur aan Rommel, die de beschikking had over honderdvijftienduizend soldaten en vijfhonderdnegenenvijftig tanks. De neptanks waren zeer ingenieus (het waren jeeps met frames van beschilderd palmhout), evenals andere zaken, maar het belangrijkste was toch de absolute heerschappij in de lucht en de voortdurende verstoring van de

Duits-Italiaanse aanvoerlijnen. Het hielp ook dat Rommel, moe van de stress, ziek was. Montgomery was van plan doorgangen door de mijnenvelden in het noorden te maken en stuurde geniesoldaten om die met behulp van snelle mijndetectoren van Pools ontwerp vrij te maken. Elke doorgang zou breed genoeg zijn om één tank door te laten en er zou – net als in 1916 – een grootscheeps bombardement plaatsvinden om de hele boel die ervoor lag plat te gooien. Dat bombardement werd uitgevoerd met duizend stuks geschut en begon op 23 oktober. Het duurde zes uur, elk kanon schoot zeshonderd bommen af. Vervolgens ging de infanterie meedoen, met de geniesoldaten, die tot de ontdekking kwamen dat ze niet opgewassen waren tegen hun taak. De mijnenvelden waren namelijk acht kilometer breed. Als een tank kapotging of de motor niet goed meer liep door het zand en stof, moest de hele kolonne halt houden en vormde zo een stilstaand doel voor het Duitse antitankgeschut. Het 88-mm kanon daarvan werd zeer gevreesd, vanwege zijn grote bereik en penetratievermogen. De Britten boekten bij de aanval op de zwakkere (maar niet wanhopige) Italianen enige vooruitgang, maar over het algemeen faalden hun eerste pogingen. De zieke Rommel was nog herstellende, en het enige voordeel voor de Britten was dat zijn plaatsvervanger een hartaanval kreeg en stierf, waardoor de Duitsers zonder leiding zaten. Rommel voelde zich nog steeds niet lekker maar kwam terug. Het geschut en de vliegtuigen – duizend vluchten (d.w.z.: lanceringen van afzonderlijke vliegtuigen) van de RAF – deden hun werk. Ze wierpen honderdvijfendertig ton explosieven af en putten de Duitsers en de Italianen volledig uit, maar er kwam geen doorbraak. Montgomery verlegde zijn hoofdaanval naar de noordelijke kant, om de Duits-Italiaanse linie af te snijden die vooruitstak richting El Alamein. De Australiërs en de Schotse Hooglanders voerden een uitputtingsslag, en Rommel had de reserves noch de brandstof voor een effectieve tegenaanval.

Op 26 oktober kon Montgomery niet meer verder. Churchill legde zijn hoofd in zijn handen en riep: 'Is er dan nergens een generaal te vinden die een veldslag kan winnen?' De RAF bracht echter redding. In de haven van Tobroek was de laatste Duitse tanker tot zinken gebracht, en Montgomery versmalde zijn frontlinie, waarmee hij een reserve creëerde voor de lancering van een nieuwe aanval. Het slagveld was een hel: de lucht zinderde van de hitte; grote zwermen vliegen hingen boven de dode lichamen, gewonden en uitwerpselen; overal kapot geschut en brandende trucks en tanks. De Britten waren beter bestand tegen deze uitputtingsslag dan de Duitsers. Op 29 oktober hadden ze achthonderd tanks, tegen de Duitsers honderdachtenveertig en de Italianen honderdzevenentachtig, die nauwelijks mobiel waren. Op 1 november werd er voor de kust van Griekenland vanuit de lucht een tanker getorpedeerd, en voor de kust van Tobroek werden er nog eens twee tot zinken gebracht. Rommel wist dat het zelfs niet gemakkelijk zou zijn om terug te trekken: hij moest blijven waar hij zat en doorvechten. Montgomery veranderde van koers en verhoogde de druk op de noordflank, waarna een zeven uur durend bombardement vanuit de lucht volgde, gevolgd door een vier uur durend bombardement door driehonderdzestig stuks geschut. Nu konden de genietroepen, onder volledige bescherming, vijf paden door de mijnenvelden schoonvegen. Hoewel een aanval op een scherm van antitankgeschut achter het station van El Alamein leidde tot het verlies van een totale gewapende brigade, waren de Duitse verliezen proportioneel nog groter. Ze hadden hooguit vijfendertig tanks klaar voor de strijd, en de artillerie was nog maar een derde van de oorspronkelijke sterkte. Rommel zei tegen Hitler dat hij zich moest terugtrekken, maar kreeg te horen dat dit niet mocht, dat hij stand moest houden. Vervolgens kreeg hij op 3 november vierhonderd ton bommen boven op zich, afgeworpen tijdens twaalfhonderdacht vluchten [van de RAF]. Rommel trok zich terug. Later vertelde hij: 'We hadden geen reserves, elke beschikbare man en kanon stonden al in de linie. Nu was het dus zover, het feit dat we alles hadden gedaan wat in onze macht lag om dit te voorkomen: dat ons front zou breken en de volledig gemotoriseerde vijand achter ons zou kruipen. Orders van hogergeplaatsten waren niet langer belangrijk. We moesten redden wat er te redden viel.' Zijn plaatsvervanger werd gevangengenomen. Montgomery brak op 4 november door, maar bleef zich netjes gedragen. Hij herinnerde zich ongetwijfeld nog goed dat toen de Britten in het verleden over Rommels terrein trokken, diens veerkracht hun een bloedige verrassing had bezorgd. Nu waren de Duitsers echter gebroken. Ze hadden nog maar vijfduizend man over, twintig tanks en vijftig stuks geschut. Ze trokken zich behendig ruim zestienhonderd kilometer terug naar Tunesië.

Op 15 november luidden in Engeland de kerkklokken. Die hadden sinds 1940 gezwegen, omdat ze vanaf dat moment gebruikt werden om een Duitse invasie aan te kondigen. Dat was nu uitgesloten, en de Britse publieke opinie kreeg nu eindelijk een overwinning aangeboden. Churchill sprak tot de natie: 'Het leger van Rommel is verslagen. Het is verjaagd. Zijn strijdmacht is grootscheeps vernietigd.' Met het inzicht van de praktiserend geschiedschrijver die hij was, plaatste hij de overwinning in de volgende context: 'Dit is niet het einde. Het is zelfs niet het begin van het einde. Maar misschien is het wel het eind van het begin.' Later, na de oorlog, schreef Churchill: 'Voor El Alamein behaalden we nooit een overwinning. Na El Alamein leden we nooit meer een nederlaag.'

Voor de Britten vonden eind 1942 de belangrijkste gebeurtenissen plaats op zee en in de lucht. Was de Atlantische Oceaan min of meer afgegrendeld geweest, dan waren ze hulpeloos geweest; hadden de Duitsers hun superioriteit in de lucht behouden, dan waren de Russen ook hulpeloos geweest, niet in staat stand te houden tegen de Duitsers. De sleutel voor deze twee situaties waren de Britten. Het was waar dat er in Noord-Afrika slechts drie Duitse divisies betrokken waren [bij de strijd], bovendien was een daarvan geclassificeerd als 'licht', terwijl de rest Italiaans was. Er stond in Noord-Afrika echter zeer veel op het spel: het Midden-Oosten, de olie daar, de strategische verbindingen.

Het probleem was dat, terwijl de oorlog zich ontwikkelde, niet alleen de Britse belangen maar ook die van de Amerikanen totaal veranderden. Het centrale probleem lag misschien in de zeer vroege overwinning van generaal O'Connor op de Italianen, in 1940. Die schepte moed voor de Britten. Toen de veldtocht in Noord-Afrika rond de jaarwisseling 1941-42 de verkeerde kant op ging, zaten er al troepen in Egypte en leek het juist die te versterken. Dat op zich had weer een blokkerend effect, en de belangrijkste inspanningen van de Britten te land waren [ook nog eens] in een deel van de wereld dat de Amerikanen maar duister vonden – een kwestie van imperialisme – of niet van belang. Maar toen verloren de Britten en moest de situatie worden gered. Een voor de hand liggende manier was dat een Anglo-Amerikaans leger Frans Noord-Afrika zou veroveren en daarbij Rommel zou wegvagen vanuit het westen, als hij niet al was weggevaagd vanuit het oosten. Het alternatief voor de Amerikanen was zich te concentreren op de strijd tegen Japan, in de Pacific. Het is een teken van Roosevelts staatsmanschap dat hij zich hield aan de regel: 'Atlantic First', eerst de Atlantische Oceaan. Hij zou thuis nog populairder zijn geweest als hij zich op de Pacific had geconcentreerd.

Toen hun legermacht groeide, was het voor de Amerikanen logisch om in te grijpen in Noord-Afrika en niet ergens anders. Churchill deed hun dat idee aan de hand. 'Operatie Toorts' werd uitgedacht: het vervoer van een enorme Anglo-Amerikaanse strijdmacht naar Frans Noord-Afrika. Vreemd genoeg zat er in

Casablanca – net als in de film – een Pools inlichtingennetwerk, hoewel de acteur daar een man uit Wenen was, en in oktober waren er geheime contacten met de lokale autoriteiten van het Franse Vichy-regime. Henri Giraud – een Franse generaal, een zeer moedig man maar niet echt slim – werd Vichy-Frankrijk uit gesmokkeld om voor de geallieerden te gaan werken. (Hij wilde opperbevelhebber worden en trok zich terug toen hem dat werd geweigerd.) De geallieerden richtten drie taskforces op die amfibielandingen moesten uitvoeren om de belangrijkste (lucht)havens in handen te krijgen, en die vervolgens naar het oosten moesten trekken, naar Tunis en Rommels achterhoede. Gezien de omstandigheden was het een enorm succes. Generaal George Patton voer met vijfendertigduizend manschappen in honderd schepen vanuit de Verenigde Staten naar Casablanca, Marokko. De meeste andere (Anglo-Amerikaanse) troepen kwamen uit Glasgow en voeren door de Straat van Gibraltar om in Algerije aan land te gaan. De U-boten die in dat gebied gestationeerd lagen, voeren uit om een konvooi van koopvaardijschepen aan te vallen. Op 8 november ging Patton aan land. Er was wel enig verzet, een aantal vertegenwoordigers van het Vichy-regime was vijandig en gewelddadig tegen met name de Britten. Uiteindelijk werden ze verslagen omdat een van de belangrijkste figuren van het Vichy-regime, admiraal François Darlan, toevallig daar was en tegen hen zei dat ze ermee moesten stoppen. Darlan was een zeer controversiële figuur, die zelfs Rommel toestond gebruik te maken van de Franse aanvoerroutes; het feit dat hij dat deed, leek de geallieerden nogal verdacht. De leider van de Vrije Fransen, Charles de Gaulle, had natuurlijk geen tijd voor hem en ook niet voor Giraud. Het grote voordeel voor De Gaulle was dat hij kon samenwerken met het overwegend communistische verzet binnen Frankrijk, en toen Darlan werd vermoord, kwam hem dat zeer gelegen. (Deze moord vond plaats onder mysterieuze omstandigheden en werd uitgevoerd door een man, een jongen eigenlijk nog, die op zijn beurt weer snel veroordeeld werd en gedood voordat hij kon praten.)

De Britten en de Amerikanen zaten, zij het na veel blunders en grote onhandigheden, in Rommels achterhoede. Ze hadden nog een voordeel, namelijk dat de Franse troepen (feitelijk Marokkaanse en Algerijnse troepen) weer meededen aan de oorlog. Churchill en Roosevelt hielden in januari triomfantelijk een conferentie in Casablanca, en hun troepen trokken Tunesië binnen, precies op het moment dat Rommel daar ook arriveerde. Bij de Slag om de Kasserinepas in februari, waar de Woestijnvos weer zijn oude zwier vertoonde, waren er aanvankelijk wat problemen met de onervaren troepen, maar natuurlijk waren de geallieerden overrompelend sterk en bovendien hadden ze de volledige controle over zowel de zee als het luchtruim. Een absurde periode volgde, toen Hitler de Duitse troepen in deze hopeloze positie manoeuvreerde. In mei werden zo'n tweehonderdvijftigduizend soldaten, van wie bijna de helft Duits, krijgsgevangen gemaakt. Hitlers manoeuvre leek zinloos, maar had het vreemde en misschien wel voorziene neveneffect dat het invasieseizoen inmiddels zo ver gevorderd was dat een invasie van Frankrijk in 1943 niet meer mogelijk was. Er zijn meer onzekere factoren wat betreft Operatie Toorts zelf. De hele operatie was opgezet om de Britten in Egypte te helpen, en misschien was het wel beter geweest als Montgomery gewoon helemaal niet bij El Alamein had gevochten, omdat Rommels communicatieverbindingen naar het westen toe werden bedreigd. Dan had hij zich sowieso moeten terugtrekken. In de ogen van Moskou (en zelfs die van Washington) was deze hele campagne slechts een imperialistische vertoning, en misschien dacht Stalin dat de Britten ervoor zorgden dat de Russen met miljoenen tegelijk stierven om hun eigen positie in het Midden-Oosten te beschermen. Operatie Toorts ontstond echter vanuit de

Slag bij Tobroek, en die slag was weer het gevolg van Mussolini's inmenging in de oorlog in juni 1940. Er waren nu honderdduizenden manschappen en honderden schepen in Noord-Afrika vanwege een oorlog die was begonnen in Polen. Wat was de volgende stap? Het antwoord was, zeer tegen de zin van de Amerikanen: Italië. Het was te laat in het seizoen om Frankrijk nog aan te vallen. Met andere woorden: er kwam nog een periode waarin de Russen het op het land zelf moesten zien te klaren.

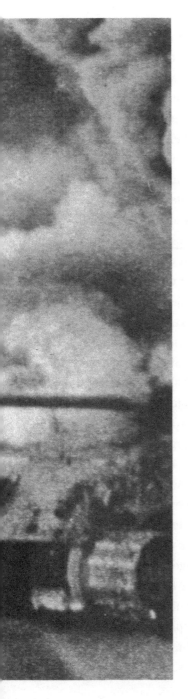

Hoofdstuk 5

De ommekeer in Rusland

Het was een gok, maar zoals zo vaak kreeg Hitler heel veel hulp van zijn vijanden

De Slag om Koersk was de grootste tankslag ooit. Er waren twee miljoen manschappen, zesduizend tanks en vijfduizend vliegtuigen bij betrokken (juli 1943).

Adolf Hitlers laatste moment van militaire inspiratie was dat hij weigerde de linie in Rusland op te geven. Het Rode Leger zette al zijn verdedigingsmiddelen in tijdens koppige aanvallen in de sneeuw. Hoewel de Duitsers werden teruggedrongen, hielden ze stand in pockets, die werden bevoorraad vanuit de lucht. Toen in het voorjaar van 1941 de dooi inviel en alles en iedereen vast kwam te zitten in de smeltende sneeuw en de modder en de overstromingen, liep de frontlinie zigzaggend, met een aantal diepe knikken, van Leningrad tot een grote uitstulping – de Rzjev-saillant richting Moskou – en van daaruit verder naar het zuidoosten, langs Charkov, de tweede stad van de Oekraïne, ruwweg langs de Donets naar de Krim. Daar heroverden de Russen in december 1941 het schiereiland Kertsj aan de noordoostkust, aan de monding van de Zee van Azov. Beide partijen hadden wonden die moesten worden gelikt, en de Duitsers zaten zwaar in de problemen. Ze verloren elke dag meer dan honderd officieren, hadden wel elfhonderdduizend doden en gewonden, en door ziekte kwamen vanaf november 1941 nog eens zeshonderdduizend soldaten om het leven. Van de voertuigen gingen er vierenzeventigduizend gewoon kapot, en slechts een derde van het spoorwegnet – dat sowieso ontoereikend was – was geschikt om het Duitse rollende materieel over te kunnen vervoeren. Slechts elf treinen per dag vervoerden brandstof, maar het leger was afhankelijk van paarden en ook die vormden een probleem: in de winter waren er honderdtachtigduizend dood neergevallen.

De Duitsers wilden natuurlijk veel te veel, en hun oorlogseconomie was niet voorbereid op een langdurige beproeving. Waar kon het best de prioriteit worden gelegd? Bij de marine? De langeafstandsbommenwerpers, de jachtvliegtuigen of de zware tanks? En hoe moest bezet Europa worden geëxploiteerd? Er werd in 1941 nauwelijks over deze kwesties nagedacht, Duitsland ging gewoon door met de productie van gewone consumptiegoederen van dezelfde kwaliteit als voor de oorlog (op zich geen hoge natuurlijk, naar Britse maatstaven dan, laat staan naar Amerikaanse). In de Messerschmittfabriek in Zuid-Beieren werd er bijvoorbeeld verkeerd gebruikgemaakt van aluminium. Het werd gebruikt om ladders van te maken voor huis-, tuin- en keukengebruik, terwijl de Britten het materiaal al gebruikten in hun jachtvliegtuigen, zodat die lichter waren en een grotere actieradius kregen. Het grootste probleem was echter de olie. Duitsland vertrouwde op de olie die het kreeg uit Roemenië, en verder op de zeer dure synthetische brandstof die in de Leunafabriek in de buurt van Leipzig en in andere raffinaderijen gewonnen werd uit ligniet (bruinkool). Dit probleem zou uiteindelijk de Duitse oorlogsinspanningen tenietdoen, en tegen 1945 kwamen de troepen stil te liggen. De Russen daarentegen kregen enorme hoeveelheden olie uit de zuidelijke Kaukasus; de opbrengsten van de oliebronnen in Bakoe werden via Astrachan aan de Kaspische Zee over de Wolga naar Rusland vervoerd. De Britten kregen ook meer dan genoeg olie, vanuit Iran, die voornamelijk was bestemd voor de veldtochten in Afrika en het Verre Oosten. Welnu, in 1942 besloot Hitler dat hij die olie moest hebben omdat, zo zei hij, zonder die olie de oorlog verloren was. Later bleek dat 1942 het laatste jaar was waarin hij iets kon doen, want vanaf 1943 vormden de Britse bombardementen – tot dat moment meestal ineffectief – een dodelijke bedreiging en keerde de Luftwaffe gedwongen terug van het oostfront om zich te richten op de verdediging van de Duitse steden. De Luftwaffe, enorm snel gegroeid in de jaren dertig, werd gedwongen meer te doen dan waartoe ze in staat was, omdat ze onvoldoende jachtvliegtuigen en goede bommenwerpers tot haar beschikking had. In juni 1942 werd een enorme operatie opgezet, 'Fall Blau', naar het pigment Pruisisch blauw. Het was een gok, maar zoals zo vaak kreeg Hitler heel veel hulp van zijn vijanden.

De overwinning die Stalin behaalde vlak voordat Hitler Moskou bereikte, was hem naar het hoofd gestegen. Hij had één groots moment: hoewel de Duitsers vlakbij waren, weigerde hij Moskou te verlaten en liet hij de jaarlijkse herdenkingsparade van de Russische revolutie op het Rode Plein gewoon doorgaan. Stalin nam aan dat de Duitsers nu wel zouden bezwijken. Ze hadden zich per slot van rekening enigszins terug moeten trekken omdat ze Rostov in het zuiden kwijt waren en Tichvin, een belangrijke stad ten oosten van Leningrad, gelegen aan de spoorlijn die de stad op de been hield. De pogingen om Leningrad te bevrijden, domineerden alles in dat gebied, omdat de enige weg naar de getroffen stad liep over het ijs van het Ladogameer, een binnenzee waarin de rivier de Volchov in de buurt van Tichvin uitmondde. Deze winter was een beproeving voor de stad, honderdduizenden mensen stierven van de honger of vroren dood. De beperkte aanvoerroute over het ijs, al niet genoeg voor de bevoorrading van de stad zelf, moest ook nog worden gebruikt om het voor de oorlogseconomie belangrijke industriële machinepark uit Leningrad te evacueren.

De legergroepen bij Leningrad en de Volchov werden vanaf januari tot juni 1942 steeds opnieuw gedwongen over te gaan tot actie. De Duitsers hadden geen materieel dat opgewassen was tegen de T-34 tanks van de Russen, die in staat waren te manoeuvreren op de bevroren moerasgrond, en ze vielen terug. Toen het weer verbeterde, vielen de Duitsers echter aan op het punt waar de Russen aanvankelijk waren doorgebroken, en ze sloten de aanvallers op in een pocket die op dat moment zompig was en waar het stikte van de muggen. Hun commandant – Andrei Vlasov, een zeer ambitieus man die op het laatste moment werd ingezet – kreeg onmogelijke instructies, kwam in een modderpoel terecht en was op 25 juni zestigduizend man kwijt. Vlasov zelf werd gevangengenomen door de Duitsers. Hij liep over, probeerde voor zijn overweldigers een Russisch Bevrijdingsleger op te zetten, en werd na de oorlog terechtgesteld door de Sovjets.

Op de Krim vond een nog grotere ramp plaats. Het marinefort bij Sebastopol, aan de westkust, werd belegerd en zou worden ontzet door het Rode Leger, dat aan de oostkust zat. Dat deed van februari tot april een paar klunzige pogingen maar leed grote verliezen. De Duitsers, die de controle hadden in de lucht, brachten de bevoorradingsschepen van de Russen grote schade toe. Op 8 mei lanceerde Erich von Manstein, commandant van het Elfde Leger op de Krim, vervolgens een goed voorbereide operatie om het schiereiland Kertsj schoon te vegen. Dat betekende een frontale aanval, die echter zo ingenieus was georganiseerd dat het overgrote deel van de Russische troepen op de verkeerde vleugel werd geplaatst, die vervolgens werd omsingeld. De Duitsers namen honderdzeventigduizend soldaten gevangen, maakten tweehonderdachtenvijftig tanks en elfhonderd stuks geschut buit, en in juni 1942 werd Sebastopol zelf ingenomen en in puin geschoten tijdens een maand durende bloedige, heroïsche strijd en werden er vijfennegentigduizend mensen gevangengenomen. De inname van Sebastopol viel samen met de val van Tobroek. Maar het ergste moest nog komen.

Het oostfront werd gemarkeerd door brede, lange rivieren. De Dnjepr stroomt van Kiev met een grote bocht in zuidoostelijke richting naar de Zwarte Zee; de Noordelijke Donets stroomt door Charkov in de Donets, die met een grote bocht in oostelijke richting uitmondt in de Don. Deze laatste rivier stroomt weer met een grote boog in zuidoostelijke richting terug naar Rostov aan de Zee van Azov. Achter deze rivieren stroomt de grootste van allemaal, de Wolga, naar de olierijke Kaspische Zee. Het Rode Leger had tijdens zijn aanvallen in januari op Charkov, in de buurt van Izyum een bruggenhoofd over de rivier de Donets geslagen. Charkov en het spoorwegknooppunt lagen slechts zo'n vijfenzestig kilometer achter de linies en de saillant bij Izyum moest worden schoongeveegd als Fall Blau uiteindelijk van start zou gaan. De zaak werd verder gecompliceerd door het feit dat het Rode Leger in maart nog een bruggenhoofd sloeg over de Donets, ten noorden van Izyum, dat echter veel zwakker was. Stalins commandant van de frontlinie, Semjon Timosjenko, had grootse plannen en deed, daarin aangemoedigd door Stalin, met vijfhonderdveertigduizend soldaten, twaalfhonderd tanks plus tienduizend stuks geschut en negenhonderd vliegtuigen opnieuw een aanval vanuit de top van de saillant. Het formele doel was om, zo'n honderdzestig kilometer ten zuidwesten van Charkov, 'belangrijke oversteekplaatsen langs de Dnjepr' in te nemen. De aanval ging op 12 mei van start, en het Rode Leger kwam dicht in de buurt van Charkov. De Duitsers reageerden resoluut: ze lieten Timosjenko optrekken, waarna de pantsergroep van Kleist totaal onverwachts en ver van achteren aanviel, met een heel korps van vliegtuigen (vijfhonderd) als rugdekking. Timosjenko verzwakte zijn aanval op Charkov, kwam op 22-23 mei in de val te zitten, en toen hij op 26 mei geen brandstof meer had en in een pocket zat, sneuvelden zijn troepen: tweeëntwintig divisies, vijftien tankbrigades, zeven divisies cavalerie, vijfhonderdveertig vliegtuigen, meer dan twaalfhonderd tanks en tweeduizend stuks geschut gingen verloren. Er werden tweehonderdveertigduizend soldaten als gevangenen afgevoerd. Er volgde nog een Duitse aanval op het noordelijke bruggenhoofd (Voltsjansk), die op 15 juni eenentwintigduizend soldaten kostte die gevangen werden genomen.

Nu was het de beurt van de Duitsers om voorwaarts te trekken over de steppe, deze keer met een overmacht van zes tegen één aan tanks, terwijl bij de vorige aanval de Russen een voordeel hadden van drie tegen één. Op 28 juni ging Fall Blau verder langs de Don. Er was een Russisch bruggenhoofd bij Voronezj, waar Bock zich zorgen over maakte omdat het Rode Leger daar op zijn open flank zou zitten als er niets aan werd gedaan. Hitler wilde dat hij gewoon doorstoomde, zo snel mogelijk, en ze kregen ruzie. De Russen kregen feitelijk te horen dat ze zich gewoon moesten terugtrekken terwijl ze hun troepen aan het opbouwen waren in de achterhoede, en op 7 juli was het duidelijk dat ze zich zouden terugtrekken uit de aanval van Bock. Het eigenlijke probleem was echter dat er gewoon niet genoeg mobiele troepen waren, en zo ze er al waren, dan waren ze – gezien de brandstofproblemen – niet erg mobiel. De ruzie op Hitlers zomerhoofdkwartier in de Oekraïense stad Vinnytsja werd zeer onaangenaam. De generaals ruzieden met Hitler over wie wat wanneer had gezegd. Om dit soort dingen in de toekomst vast te leggen, werd alles wat er in de barakken van het hoofdkwartier werd gezegd, terwijl de airconditioning ratelde en de muggen zoemden, door stenografen genoteerd – niet bemoedigend overigens voor het vertrouwen dat nodig is voor een militaire operatie. De Sovjets toonden echter nog niet veel verzet, en de Duitsers splitsten hun troepen: Legergroep A zou de Kaukasus binnenvallen om de olie in handen zien te krijgen, terwijl Legergroep B op wacht zou staan op de noordelijke flank, langs de benedenloop van de Wolga. Het Zesde Leger, het speerpunt, bereikte het oostelijke uiteinde van de bocht in de rivier de Don en stak die half augustus over. Een smalle landbrug scheidde deze rivier van de Wolga.

De belangrijkste stad aan de benedenloop van de Wolga was Stalingrad, een oude stad gebouwd voor de moderne industrie uit het Vijfjarenplan en – net als andere steden – genoemd naar een figuur uit de revolutie. Het Rode Leger bereidde zich voor op een strijd hier en zette een nieuwe legergroep op, genoemd naar de stad, met tweehonderdduizend soldaten, vierhonderd tanks, meer dan tweeduizend stuks geschut en vierhonderdvierenvijftig vliegtuigen. De stad was er klaar voor, het vee en het machinepark waren overgebracht naar de oostelijke oever van de Wolga. Stalin, die zichzelf steeds had voorgehouden dat de echte dreiging uitging naar Moskou, zag toen de Duitsers op 23 juli Rostov aan de Don innamen, pas in wat er werkelijk gaande was. Gemotoriseerde troepen moesten door naar Astrachan aan de Kaspische Zee, maar de brandstofvoorraden bleven een probleem: er ging vijftienhonderd ton naar het front aan de Don, in trucks die toegevoegd waren aan Legergroep B. Door het tekort aan brandstof kwam het Zesde Leger daarvan een week te laat. Bovendien bleef het verschil in sterkte bestaan: een paar goede eenheden in het westen, waar nu gevreesd werd voor een tweede front; verplaatsing van Mansteins commando naar Leningrad, waar plannen waren – die overigens niet werden gerealiseerd – om zich aan te sluiten bij de Finnen, om de stad strak te kunnen insluiten. De daaropvolgende maanden konden de Duitsers de aanval op Leningrad niet op de juiste manier uitvoeren omdat alle aandacht uitging naar het zuiden, waar het Rode Leger krachtige aanvallen uitvoerde – veel krachtiger dan later werd toegegeven, vanwege het feit dat ze werden verslagen. David Glantz, een oplettend Amerikaans historicus, bracht dit aan het licht, waarbij duidelijk werd hoe buitengewoon inventief een van de Duitse generaals, Walter Model, was in het behouden van de frontlinie, bij Rzjev en Gzjatsk (het tegenwoordige Gagarin), niet ver bij Moskou vandaan, toen die in het voorjaar van 1942 was gestabiliseerd. De partizanen vormden inmiddels een probleem, omdat er onder militaire supervisie aardappels moesten worden gerooid en er vijf of zes aanvallen per dag plaatsvonden in het gebied van de Legergroep Midden.

In deze crisissituatie verkeerde de USSR in 1942. Het land was ruim een derde van zijn industrie kwijt, en twee vijfde van de bevolking zat in door de Duitsers bezet gebied. De kolenvoorraden in het Donetsbekken waren voor driekwart op, en er was ook een enorme achteruitgang in de voorraden ijzererts, koper, kwik, tin en lood, fosfaten, grafiet en jodium. Er waren ook tekenen van demoralisatie binnen het leger, bijvoorbeeld de ineen-

storting van de geïmproviseerde verdedigingslinie aan de zuidelijke Don, na de val van Rostov. De Duitse opmars vanaf daar, eind
juli, ging snel toen ze de Manych – de rivier die in dat gebied de
grens vormt tussen Europa en Azië – waren overgestoken. Legergroep A zou langs de Zwarte Zeekust optrekken naar Batum en
de Russische marinebasis blokkeren, maar moest ook de oliestad
Majkop innemen, de hoofdstad van de deelrepubliek Adygea, en
de oliebronnen. (Aangenomen dat de inheemse bevolking zou
meewerken en dat het Rode Leger zou verdwijnen. Alleen al deze
Legergroep nam van 1 juli tot 10 augustus driehonderdnegendui-
zend mensen gevangen.) Met een Roemeens-Duitse aanval met
zweefvliegtuigen werd het schiereiland Taman langs de oostrand
van de monding van de Zee van Azov schoongeveegd, en de Duitsers bereikten inderdaad de haven van Novorossiejsk. (Hoewel
ze erin slaagden deze stad en het bruggenhoofd bij de Koeban
nog een jaar te behouden, bleek dit hun laatste serieuze triomf
te zijn.) Majkop viel op 9 augustus, maar er liepen daarvandaan
slechts vier paden door de Kaukasus, voor muilezels, en zelfs de
veldkeukens moesten achterblijven. Het enige voertuig dat nog
enigszins nuttig was, was de Kettenkrad, een soort motor-tank.
Getrainde bergtroepen plantten op 22 augustus een Duitse vlag
op de berg Elbroes, die evenzeer de noordkant van de Kaukasus
domineert als de berg Ararat de zuidkant. De Duitsers kwamen
tot veertig kilometer voor de stad Soechoemi aan de Zwarte Zeekust. Tegen die tijd waren ze echter zo ver van hun basiskamp,
dat het een week duurde voordat er voedsel was, en er moesten
tweeduizend muilezels worden gevoerd. Verder waren er bittere
ruzies in het hoofdkwartier, de climax van de wekenlange spanning over de vraag hoe behoedzaam het leger moest opereren.
Intussen arriveerden er vijfenzestighonderd experts bij Majkop,
het kleinste van de olievelden, in de hoop er drieënhalf miljoen
ton olie uit te kunnen halen. Ze werden echter aangevallen door

partizanen en de olievelden waren leeggeroofd. (Al met al slaagden ze erin slechts vijftig vaten naar boven te halen; bovendien werden de barakken van de technici opgeblazen door ingenieuze partizanen.) De Duitsers zaten vast en Hitler was woedend. Toen hij zich realiseerde dat hij de doelen van de campagne voor 1942 niet zou halen, verscheen hij zelfs niet meer in het openbaar. Zijn woedeaanvallen bereikten orkaankracht toen hij het functioneren van het hele leger aan de kaak stelde en zwoer dat hij niet kon wachten zijn legeruniform uit te trekken. In augustus verloor het leger tweehonderdduizend manschappen; slechts de helft daarvan kon worden vervangen.

Tot 24 juli ging de aanval via de binnenbocht van de Don naar Kalach redelijk. Op 30 juli kwam het Vierde Pantserleger van Hoth samen met een Roemeens korps onder Legergroep B, omdat het Zesde Leger (onder leiding van Friedrich Paulus, de zoon van een onderwijzer; zijn vrouw was een aristocratische Roemeense, een Rosetti-Solescu) wat de infanterie betreft te zwak was voor de aanval op Stalingrad. Het was heel warm en er was niet genoeg water op de steppe tijdens de opmars van de Duitsers. Ineens was daar op 7 augustus een overwinning bij nadering van Kalach, ten westen van Stalingrad. De buit bestond uit zevenenvijftigduizend gevangenen, duizend tanks, zevenhonderdvijftig stuks geschut en zeshonderdvijftig vliegtuigen. Het belangrijkste was echter dat deze overwinning de Russen tijd verschafte. Op 24 augustus trok het Pantserleger van Hoth op vanuit het zuiden, het verzet verzwakte en begin september zaten de Duitsers in de buitenwijken van Stalingrad. Duidelijk was dat de stad moedig verdedigd zou worden.

Zjoekov kreeg op 26 augustus de verantwoordelijkheid voor de verdediging van Stalingrad. Hij wist Stalin ervan te overtuigen niet slechts lokaal tegenaanvallen te organiseren en begon aan de planning van een veel groter tegenoffensief tegen de zwakke

Duits-Roemeense flanken. Die voorbereiding duurde twee maanden. Hij had gelijk: de ruim achthonderd kilometer lange flank langs de Don werd bezet door geallieerden van een twijfelachtig allooi: een Hongaars leger, zwak qua antitankgeschut, een Italiaans leger dat ruim negenhonderdvijftig kilometer was opgetrokken, en Roemenen die nog de besten waren van deze geallieerde soldaten. Op de dag dat Zjoekov naar Moskou vloog om uit te leggen wat zijn plannen waren, zag Paulus Hitler in Vinnytsja om van hem een hart onder de riem te krijgen (hoewel zelfs het drinkwater schaars was). Op 10 september bereikte het pantserkorps de Wolga net ten zuiden van Stalingrad. Op 13 september werd het station aan de noordzijde veroverd. Daarna veranderde de strijd van karakter. Het werd nu een gevecht van huis tot huis, om spullen: de strijd om de Mamajev Koergan (een heuvel), een silo, de tractorfabriek – ze belandden allemaal in de geschiedenisboeken en in de film. Hoewel Paulus klaagde dat zijn troepen uitgeput waren, verklaarde Hitler op 6 oktober de inname van Stalingrad tot hoofdtaak van diens legergroep. Er zou onenigheid zijn geweest over de vraag of de stad, hoewel kapotgeschoten, de komende winter niet beter bescherming bood dan de open steppe, en Göring beloofde ruimhartig steun vanuit de lucht. De voedselbevoorrading was echter niet veilig en de transportlijnen waren zwak: drie legers moesten ruim vierentwintighonderd kilometer terug naar Duitsland over drie trajecten enkelspoor met wissel, waar al regelmatig een opstopping van honderden treinen was. Het gemiddelde aantal treinen dat aankwam bij het Zesde Leger was vier in plaats van de acht tot tien die nodig waren. De wegen – een en al modder – waren ook een probleem, en de voorraden hoopten zich op in de depots, waar ze bleven liggen terwijl hele kuddes paarden stierven van de honger. Hitler had echter alleen maar oog voor zijn eigen propaganda, en hij had op 30 september zelfs gezegd dat het ergste voorbij was, dat de stad spoedig zou vallen. Waarna er nog meer orders kwamen. De Duitsers stonden half oktober inderdaad aan de Wolga, waardoor de verdediging in tweeën werd gespleten. De troepen waren echter uitgeput door de huis-aan-huisgevechten, en de enorme steun vanuit de lucht en van de artillerie was niet zo effectief als die zou moeten zijn. Verdere aanvallen van het Zesde Leger op 17 oktober op de wapenfabriek en de metaalverwerkende industrie mislukten.

Zjoekovs tegenaanval op 19 oktober, via de bruggenhoofden over de Don bij Kletskaja en Bolsjoj, was zeer goed voorbereid, want er waren zelfs ambities om Rostov in te nemen en de Duitse Legergroep A in de Kaukasus in de val te laten lopen. Er werd grote geheimhouding betracht en de troepen manoeuvreerden 's nachts: voor het bruggenhoofd bij de Wolga werden er in twintig dagen tijd honderdzestigduizend manschappen, tienduizend paarden, vierhonderddertig tanks en zesduizend stuks geschut naar de overkant verscheept. Door troepen terug te trekken van het front en ze te laten rusten en ze te trainen, werden er op een slimme manier reservetroepen gecreëerd. De Roemenen aan het front bij de Don hadden slechts de beschikking over een mengeling aan gevangengenomen (onder wie Tsjechische) artilleristen, en hun enige reserve was een cavaleriedivisie bijna zonder paarden, terwijl de divisies elk wel een kleine twintig kilometer linie moesten verdedigen, met een tactisch ongunstige ligging. Er werd zelfs van hen verwacht dat ze een deel van de linie van de Italianen overnamen.

De positie van de Roemenen aan de zuidkant was nog slechter: honderdduizend soldaten op tweehonderdveertig kilometer, en een deel van de linie werd gedekt door waarnemers. Er waren slechts vierendertig stuks 7.5-cm antitankgeschut (en zestig aan de Don) en slechts een zesde van de benodigde mijnen was geleverd. Hoewel Hitler zich zorgen maakte over de flank bij de Don, lijken hij en zelfs het hoofd van de legerstaf, generaal Franz Halder, echter te hebben gedacht dat de Russen te zeer verzwakt waren. De informatie van de inlichtingendienst was gebrekkig, en Hitler ging op 7 november vanuit Vinnytsja via München en de Berghof, zijn residentie in de Beierse Alpen, terug naar de Wolfsschanze, zijn militaire hoofdkwartier aan het oostfront in de Oost-Pruisische stad Rastenburg, net toen de belangrijkste gebeurtenissen van het jaar zich ontvouwden. Op 8 november, terwijl Rommel in de tang genomen werd bij El Alamein, sprak Hitler in München op de verjaardag van de nazipartij zijn zo goed als laatste toespraak voor publiek. Als hij aankondigt dat Stalingrad daadwerkelijk gevallen is, kun je horen dat hij probeert zijn stem weer even krachtig te laten klinken als eerst. Nog maar tien dagen en dan zou de vergelding plaatsvinden.

De Duitsers hadden geen idee wat er ging gebeuren. Tot de start van het offensief was niet bekend over hoeveel tanks de Sovjets beschikten. Op 19 november vielen dertig divisies het Roemeense Derde Leger aan; ter bescherming waren hun tanks ingegraven, want ze konden niet rijden door een gebrek aan brandstof. De elektrische bedrading was echter aangevreten door de muizen, ze konden dus zelfs ook niet vuren. De Russen braken door naar het zuiden, zuidoosten en zuidwesten en zaten tweeendertig kilometer in de achterhoede van het Zesde Leger. De volgende dag kwam er een tweede aanval, vanuit het bruggenhoofd op het strand aan de Wolga, ten zuiden van de stad, die stuitte op een ander Roemeens leger. De twee tanghelften sloten zich bij Kalach aan de Don om de Duitsers. Het Duitse pantserkorps dat ze tegenover zich hadden, had niet alleen een gebrek aan brandstof maar was qua aantallen tanks – zo'n tachtig stuks – niet sterker dan een pantserregiment, terwijl het weer het Luchtvloot 4 onmogelijk maakte te vliegen. Op 21 november bereikte de noordelijke aanval het hoofdkwartier van het Zesde Leger zelf, dat moest vluchten en alles en iedereen aan zijn lot overliet. Twee Duitse divisies ten westen van de Don konden door een gebrek aan brandstof niet verder. Paulus wist dat er een probleem was met de bevoorrading door de lucht, en smeedde plannen voor een uitbraak. Hitler verbood dit echter, ook al waarschuwde de commandant van de legergroep hem dat hij überhaupt pas op 10 december een bevrijdingsaanval kon inzetten (vanaf Kotelnikovo, ruim honderdtien kilometer ten zuidwesten van Stalingrad) en zei Wolfram von Richthofen van de Luftwaffe tegen Hitler dat hij het idee van bevoorrading door de lucht wel kon vergeten.

Er heerste verwarring binnen het Duitse oppercommando. Hitler was aan het zwerven, anderen waren in Salzburg; het nieuwe hoofd van de legerstaf, Kurt Zeitzler, was in Rastenburg. (Om Hitler te laten zien in welke ellende de manschappen in Stalingrad verkeerden, at hij dezelfde rantsoenen als zij, waardoor hij in twee weken tijd bijna dertien kilo afviel.) De hoop was dat met de nieuwe Tigertanks en het voorbeeld van de pockets die de winter daarvoor stand hadden gehouden, alles goed zou gaan. Manstein werd nu benoemd tot bevelhebber van een nieuwe Legergroep Don. Hij kreeg twaalf divisies toegezegd, te weinig voor de opdracht die hij moest vervullen, en de honderdnegenenzeventig vliegtuigen die hij kreeg, waren te veel verspreid en deden alleen maar routine-taken. Na een opmars van tweeëndertig kilometer in drie dagen stopte op 19 december de aanval. Nu begon voor Stalingrad de beproeving pas echt. Hoewel Göring beloofd had de stad via de lucht te zullen bevoorraden, was die bijdrage niet genoeg en werd het ook steeds minder. Er was geen basisinfrastructuur voor vliegtuigen – zoals bescherming tegen de winter, weerstations, reparatie en onderhoud – en de Russen schakelden vaak vliegtuigen uit die uit allerlei samengeraapte onderdelen bestonden, inclusief oefentoestellen, met zeer gestreste bemanningen. Het leger gebruikte elke dag honderdtweeëndertig ton munitie, de vliegtuigen vlogen tot 2 december echter nauwelijks meer dan zestien ton voorraad de stad in en daarna drieënvijftig ton. Slechts een tiende van de benodigde hoeveelheid brandstof kwam erdoor, en de paarden gingen dood door een gebrek aan voer. De mannen kregen per dag slechts driehonderd gram brood, honderd gram vlees (ook paardenvlees) en dertig gram vet. Op 16 december, de thermometer stond toen op -30 °C, kregen de mannen soep van paardenvlees en twee sneetjes brood. Paulus zelf zei dat er nog maar genoeg was tot 18 december, hoewel er van 18 tot 21 december bijna vijfhonderd ton werd ingevlogen, ten koste van vrachtruimte voor munitie. Op 21 november meldde Paulus de eerste doden door honger. Er was nog slechts brandstof voor een paar kilometer, er was geen hoop op een succesvolle uitbraak. Intussen bouwden de Russen hun troepen op en hakten ze (op 19 december) een Italiaans leger in de pan aan de Don, waardoor het Duitse Vierde Luchtkorps zijn krachten nu moest richten op de aanval aan de Don. Een landingsbaan viel, waarbij zeventig vliegtuigen en alle lading verloren gingen. Er werd tot 12 januari slechts honderdtien ton ingevlogen, waarvan een deel nogal overbodig was, terwijl nauwelijks twee procent van de benodigde munitie aankwam. Op 14 januari was de pocket gekrompen tot een derde van de eerdere omvang en ging het belangrijkste vliegveld (Pitomnik) verloren. Daardoor ontstond er paniek, want alle vliegtuigen vertrokken. Toch plantten de Duitsers op 25 januari uitdagend een hakenkruisvlag op het hoogste gebouw dat nog overeind stond, en zelfs Paulus wauwelde nog wat door over een 'fanatieke wil'. Tegen 28 januari kregen de gewonde mannen en zij die geen wapen meer hadden, gewoon niets, en vanaf dat moment vielen de voorraden die de vliegtuigen dropten meestal in de handen van de Russen. Uiteindelijk toonde een divisiecommandant – die opereerde vanuit het warenhuis Univermag, waar ook het restant van Paulus' staf zat – de witte vlag, en hetzelfde gebeurde bij de tractorfabriek aan de noordkant, waar bevelvoerende onderofficieren zich gewonnen gaven.

Zjoekovs doel was geweest Legergroep A in de val te laten lopen voordat deze zich uit de Kaukasus kon terugtrekken. Zo'n terugtrekking zou, ongeacht de omstandigheden, zeer moeilijk uit te voeren zijn geweest. Hitler wilde in elk geval Majkop behouden, maar het werkelijke doel was Rostov te behouden en Mansteins Legergroep Don te hervormen, waaraan de legergroep van Kleist in de Kaukasus ondergeschikt was. Twee legers moesten zich nu terugtrekken en proberen – niet altijd met succes – uitrusting mee te nemen en ook nog de tactiek van de verschroeide aarde toepassen. De legergroep bestaande uit twintig divisies (vierhonderdduizend man) moest zich terugtrekken in een positie op de Gotenkopf, de oostelijke uitloper van de Krim. Begin februari was de terugtrekking min of meer voorbij; de Duitsers hadden in winterse omstandigheden en zonder bescherming vanuit de lucht afstanden van vierhonderdvijftig tot vijfhonderdvijftig kilometer overbrugd. De troepen die waren gevlucht, werden via de Krim naar Manstein en naar de middenloop van de Don gestuurd. Daar legde een Legergroep Zuid (onder het bevel van Maximilian von Weichs) met veel te weinig manschappen driehonderdtwintig kilometer af om Mansteins noordflank te verdedigen als Stalingrad zich had overgegeven. Het bruggenhoofd bij Voronezj werd verlaten, maar het Donetsbekken opgeven was verboden, omdat – volgens Paul Pleiger, de verantwoordelijke ambtenaar – het nieuwe tankprogramma zonder de grondstoffen uit dit gebied niet zou werken. Eind januari was de dreiging op Mansteins westelijke vleugel echter zeer groot, en hij haalde behendig troepen weg bij de oostelijke vleugel (onder het bevel van Maximilian Fretter-Pico en Karl-Adolf Hollidt) om Charkov te dekken. Begin februari slaagden de Russen erin Koersk in het westen in te nemen en vormden ze honderdzestig kilometer naar het zuiden een bedreiging voor Charkov. Hitler had het SS Pantserkorps gesommeerd daar naartoe te gaan, maar op 9 februari was er een algehele noodsituatie, omdat Belgorod en Izyum vielen, en de SS-commandant negeerde Hitlers orders om te ontsnappen aan een tangbeweging van de Russen. Op 16 februari trok hij zich terug uit Charkov.

Hitler gaf zijn generaals weliswaar de opdracht zich niet terug te trekken, maar dit was een wanhopige situatie en Manstein moest flexibel zijn. Er zat een gat tussen de twee belangrijkste legergroepen bij de rivier de Dnjepr, en de Russen trokken ernaartoe. Vol jubelend zelfvertrouwen joegen ze al hun voorraden erdoorheen voor de herovering van Charkov. Manstein schraapte troepen bijeen van de drukbezette positie op de Gotenkopf, en er arriveerden versterkingstroepen van de SS. De Russen hielden deze troepenbewegingen abusievelijk voor een terugtrekking. Met een goed georganiseerde aanval in noordelijke richting, begin maart, door het Eerste Pantserleger (dat van de Krim was gehaald) werd de Russische flank en achterhoede geraakt, zodat Charkov kon worden heroverd, waarna de linie langs de Donets zich begin maart herstelde. Luchtvloot 4 was met bijna duizend vliegtuigen en duizend vluchten per dag zeer effectief. De algemene positie was zoals die in mei 1942, en de Slag bij Charkov had laten zien dat Duitse soldaten, indien op de juiste manier geleid, nog zeer goed in staat waren te vechten. De positie aan de Donets, inclusief Belgorod, werd toen heroverd.

Er waren nog andere problemen in het noorden en midden. De Duitsers slaagden er net ten zuiden van het Ladogameer, bij Schlüsselburg, ook in de resterende Russische link naar Leningrad te bedreigen. Er waren miniatuur-Stalingrads, waar het uithoudingsvermogen op de proef werd gesteld, maar veruit het allerbelangrijkst was het feit dat de Duitse blokkade van Leningrad in januari 1943 werd gebroken. In het Ladogameer lagen oliepijplijnen, en de grond was door de vorst beter begaanbaar dan in de zomer (toen het front bij de Volchov, ten oosten van de stad, moerassig gebied werd). Het Rode Leger lanceerde een aanval op de nauwe strook land bij Schlüsselburg, die de Duitsers aan de zuidkant van het Ladogameer hield, tussen de verdedigers van Leningrad en hun zogenaamde bevrijders in het oosten. Zijn troepen daar werden afgesneden en Hitler wilde hun niet toestaan zich terug te trekken. De Legergroep Noord had geen reservetroepen, want er werd ook aan de zuidkant strijd gevoerd, waar de uitgerekte saillant bij Demyansk – die was overgebleven na de eerste opmars naar Moskou – Rybinsk bedreigde, het enorme reservoir dat Moskou voorzag van water. De bedreigde positie bij Demjansk werd opgegeven, hoewel de grotere in de buurt van Rzjev nog twee maanden standhield. Uiteindelijk was er echter na vijfhonderdzes dagen – zij het tegen een zeer hoge prijs – een landverbinding naar Leningrad (hoewel slechts dertien kilometer breed), en de treinen die eroverheen reden waren binnen het bereik van Duits geschut. Het oostfront was weer in evenwicht: zou de overwinning een jaar eerder zijn geweest als de westerse geallieerden toen een landing in Frankrijk hadden georganiseerd in plaats van tot 1944 te wachten?

Hoofdstuk 6

Fanatisme en haat, verwarring en vertraging

De Britse commandant Harris was ervan overtuigd dat als ze met het platgooien van de steden niet eens en voor al de oorlog zouden winnen, er nog niet genoeg bommen waren gegooid

Dresden, februari 1945.

Dat het Derde Rijk uiteindelijk ten val zou worden gebracht, was duidelijk. Twee derde deel van de manschappen dat in Stalingrad in de val zat, stierf en de resterende negentigduizend werden gevangengenomen en marcheerden weg door de sneeuw, naar kampen waar ze min of meer verhongerden. Een aantal Duitsers – met name stafofficieren van de Legergroep Midden – wilde zelf Hitler vermoorden (en een of twee pogingen mislukten op het laatste moment). De oorlog creëerde op dit moment echter zijn eigen momentum, en de Duitse massa leek totaal buiten de realiteit te staan. Hitler wuifde elke opmerking over vrede weg, en veel Duitsers werden geëxecuteerd om hun defaitisme als ze twijfelden aan de *Endsieg*, de uiteindelijke overwinning. Hoe moesten de westerse geallieerden hiermee omgaan? In januari 1943 ontmoetten Churchill en Roosevelt elkaar in Casablanca, min of meer op hetzelfde moment dat Paulus zich overgaf in Stalingrad, en ze hadden een plan voor samenwerking met het zegevierend Rode Leger. Stalin zelf wilde zo snel mogelijk een tweede front, een amfibische invasie van Frankrijk, en deed minachtend over Churchills uitvluchten. De oude man vroeg uiteindelijk in augustus 1942 in Moskou woedend aan Stalin waarom hij dacht dat Hitler na de Slag bij Duinkerken, als er toch geen leger was dat weerstand bood, niet een invasie had uitgevoerd op de Britse Eilanden? Feit was dat een amfibische operatie via het Kanaal gewoon heel moeilijk was. Er had in de Britse geschiedenis, na de Slag om Hastings in 1066, slechts één keer een invasie plaatsgevonden die was gelukt: die van Willem III van Oranje in 1688. En zelfs die was alleen maar gelukt omdat een groot deel van de Engelsen aan zijn kant stond. Er waren ook niet veel invasies van de Engelsen in West-Europa geweest, en een aantal daarvan was bijna geëindigd in een schertsvertoning, zoals de Walcherenexpeditie tegen Napoleon in 1809.

Nietemin had Stalin gelijk: een invasie zou in 1943 mogelijk moeten zijn, en de Amerikanen – met name George C. Marshall, met zijn keiharde eerlijkheid en zijn begrip van de details – wisten dat ook. In Casablanca was men daar echter niet toe bereid. De Britten hadden militair gezien nog steeds de leiding, ze waren inmiddels ervaren en slaagden erin een met feiten en cijfers onderbouwde zaak te presenteren waarmee ze – mede gezien hun retorische overwicht – erin slaagden de Amerikanen over de streep te trekken. Was Tunis snel ingenomen, dan was er misschien nog tijd in het campagneseizoen voor een aanval via het Kanaal. Er was echter een paar keer sprake van grote vertragingen, en Tunis werd pas half mei schoongeveegd. Een groot leger, met de middelen om een invasie uit te voeren, sloeg vervolgens zijn tenten op langs de kust van Noord-Afrika, net onder Italië. De Britten (in elk geval de meesten van hen) waren voorstander van een invasie van Sicilië, en het merendeel van de Amerikanen wilde iets anders. De Britten wonnen echter de strijd. Dat bepaalde de rest van de oorlog.

Feit was, dat de meeste Britten van mening waren dat er nooit een herhaling mocht komen van de strijd aan het westfront, of het nu die van 1916 was of die van 1940. Ze werden beide keren meermaals verslagen door het Duitse leger en wisten dat hun eigen kracht elders lag: in de lucht en op zee. Ze waren beter in de productie van vliegtuigen dan de Duitsers en hadden een groot geloof in de doeltreffendheid van luchtbombardementen. Ze hadden zelfs 's werelds eerste strategische instrument daartoe opgezet: het Bomber Command. Dit geloof leidde er vervolgens, vreemd genoeg, toe dat er op eenzelfde manier campagne aan het westfront werd gevoerd als in 1916: bij het mislukken van een eerste poging werden er versterkingen aangevoerd voor de volgende poging, en een mislukking daarvan leidde tot nog meer versterkingen. De luchtoorlog vergde veel van de oorlogseconomie. Een bommenwerper bevatte wel een half miljoen aparte onderdelen, de productie ervan vergde grote precisie en de machines moesten zorgvuldig worden onderhouden. Een derde van de Britse oorlogsinspanningen ging op welke manier dan ook naar de vliegtuigindustrie. Er kwamen steeds meer ingenieuze uitvindingen en aanpassingen om de bombardementen effectiever te maken dan in 1941. Verbazingwekkend genoeg was er maar weinig protest tegen het bombardementsoffensief; het was in elk geval lange tijd de enige manier waarop de Britten het de Duitsers betaald konden zetten, die overigens hoe dan ook de schuld kregen dat zij degenen waren die begonnen.

Tegen 1945 zagen de mensen in Centraal-Europa die omhoogkeken naar de lucht met grote regelmaat soms wel honderden zilverkleurige bommenwerpers overkomen met brandbommen en zeer explosief materiaal aan boord om op de (grote) steden te gooien, maar dat proces kwam pas echt op gang in 1942 en 1943. De Luftwaffe was opgezet ter ondersteuning van de grondtroepen en kwam eerst in Polen en vervolgens in Nederland vernietigend in actie. Daar werden steden gebombardeerd, in het bijzonder Rotterdam, waarvan werd aangenomen dat die zichzelf zouden verdedigen. Het was onvermijdelijk dat er bij een aanval op militaire doelen fouten werden gemaakt en er 'collateral damage' ontstond. Dat gebeurde met name bij de bombardementen door de Duitsers. De RAF sloeg terug. Hitler ook, en de Duitsers vaardigden een merkwaardig persbericht uit waarin ze bekendmaakten dat ze in vierentwintig uur tijd meer dan negenhonderd ton bommen op Londen hadden gegooid. Deze verrassingsaanvallen gingen door tot voorjaar 1941. Op hun beurt voerden de Britten op 16 december 1940 een aanval uit op Mannheim, met de bedoeling het een lesje in angst te laten zijn. Het heette uit wraak te zijn voor de vernietiging van Southampton in september 1940 en van Coventry in november 1940, maar het bombardement was niet effectief: bommenwerpers raakten de weg kwijt, ze slaagden er in elk geval totaal niet in hun bommen met precisie af te werpen. In april 1942 vonden ze gemakkelijker doelen. Ze vielen meedogenloos het pittoreske oude centrum met houten huizen van Lübeck aan, waarna dit beleid officieel werd 'toegepast om het moreel van de burgerbevolking van de vijand en in het bijzonder dat van de industriearbeiders te ondermijnen'. Er werd een 'verrassingsaanval met duizend bommenwerpers' gelanceerd op Keulen, de belangrijkste stad van het Rijnland, waarbij nieuwe tactieken werden toegepast. Hoewel slechts ongeveer vierhonderd mensen de dood vonden, werden er twaalfduizend gebouwen beschadigd of vernietigd.

Aan het hoofd van de campagne tegen de steden stond luchtmaarschalk Arthur Harris, die in 1943 opperbevelhebber werd van het Bomber Command. 'Bomber' Harris, zoals hij werd genoemd, was zeer vastberaden en uiterst meedogenloos. Hij was ervan overtuigd dat als ze met het platgooien van de steden niet eens en voor al de oorlog zouden winnen, er nog niet genoeg bommen waren gegooid. Terwijl de campagne zich ontvouwde, beweerde hij glashard dat hij de oorlog zou winnen als ze beter op hun doel zouden kunnen richten, de bemanning beter werd getraind, ze elektronische snufjes aan boord kregen om de radar van de vijand te misleiden en nieuwe tactieken konden toepassen, waaronder de tactiek waarbij een eerste groep verkenningsvliegtuigen brandbommen gooide om doelen te markeren voor de zeer explosieve bommen van de hoofdmacht. Voor de aanvallen in maart 1943 beschikte de RAF over zeshonderdnegenenzestig zware bommenwerpers en de Amerikanen over driehonderd. De US Army Air Forces (USAAF, zoals de US Air Force toen heette) beweerden dat ze zich het grootste deel van de oorlog hadden beperkt tot 'precisiebombardementen' op militaire doelen. In december 1943 begonnen de Amerikanen echter, na de introductie van de H2X-radar (waarmee in slecht weer kon worden genavigeerd), ook steden te bombarderen. De Britten probeerden wel industriële doelen te raken en gooiden in het voorjaar van 1943, tijdens de Slag om het Ruhrgebied, vierendertigduizend ton bommen; nadat met een slimme verrassingsaanval een paar stuwdammen werden doorbroken, daalde de staalproductie met tweehonderdduizend ton. Harris stopte echter met deze aanvallen, die de Duitse minister van Bewapening, Albert Speer, als zeer ernstig beschouwde. In plaats daarvan ging de RAF weer door met het bombarderen van steden. In juli werd Hamburg totaal verwoest, omdat er een vuurstorm ontstond toen de zuurstof in de lucht vlam vatte en verkoolde lijken de waterleidingen verstopten. Twee derde van de inwoners die de vuurzee overleefden, moest verhuizen. Natuurlijk werd de vliegtuigindustrie en de productie van tanks ook geraakt. Vervolgens verlegde Harris zijn doel naar Berlijn. Hij wilde die stad vernietigen, zodat de oorlog in het voorjaar van 1944 ten einde zou zijn. In oktober 1943 vertelde hij de regering dat die eerlijk moest zijn tegen het publiek over deze aanvallen op burgerdoelen. Niemand behalve een paar verheven zielen zou er werkelijk bezwaar tegen hebben als er Duitsers omkwamen: 'het doel van het gecombineerde bommenoffensief (…) zou ondubbelzinnig moeten zijn: de vernietiging van Duitse steden, het doden van Duitse arbeiders en de ontwrichting van het burgerbestaan in heel Duitsland.' Waarna hij vervolgde: 'Benadrukt moet worden dat de vernietiging van huizen, publieke voorzieningen, transportvoorzieningen en levens, het creëren van een ongekend groot vluchtelingenprobleem en de instorting van het moreel zowel thuis als aan het strijdfront door de angst voor verspreide, zeer intensieve bombardementen, aanvaarde en beoogde doelen zijn van ons bombardementsbeleid. Het zijn geen nevenproducten van pogingen om fabrieken te raken.' George Orwell dreef de spot met zijn houding met de denkbeeldige krantenkop: 'Berlin Bombed: Babies Burn'.

Al snel werd echter erkend dat het bommenoffensief een beperkt effect en zelfs contraproductieve gevolgen had. In de eerste plaats gaf het de Britse oorlogseconomie een uitgesproken karakter, aangezien een zeer groot deel van de productie van het Verenigd Koninkrijk ging zitten in de productie van zware bommenwerpers, hetgeen van invloed was op bijvoorbeeld de productie van landingsvaartuigen. Het effect op de Duitse productie was tot 1944 opmerkelijk klein, omdat die nogal verspreid lag. In dat jaar startten de Amerikanen echter in samenwerking met de RAF 'Operatie Pointblank', aanvallen die bedoeld waren om essentiële onderdelen van de Duitse economie, zoals de kogellagerfabriek in Schweinfurt, te raken om op die manier de Luftwaffe te betrekken in een strijd die ze zouden verliezen. De formaties van onbegeleide bommenwerpers waren echter zeer kwetsbaar, en de Verenigde Staten stopten met de operaties totdat ze in staat waren een langeafstandsjager te bouwen. De P-51 Mustang bleek het meest geschikt. Die was heel licht (omdat hij gebouwd was van hout en aluminium) en had daarom voldoende brandstofcapaciteit voor een lange afstand: naar Berlijn en terug naar de basis in Engeland. Het bommenoffensief als zodanig stopte in april 1944, toen de geallieerden Noord-Frankrijk moesten bombarderen ter voorbereiding op de invasie die in juni kwam – tot Harris' grote ontzetting. Gezegd is dat de bombardementen een beperkt effect hadden op het moreel. Na de oorlog erkende de Britse Bombing Survey Unit dat het offensief niet volgens plan had gewerkt: 'De essentiële vooronderstelling achter de politiek dat steden werden gebruikt als eenheidsdoel om een gebied te kunnen aanvallen, namelijk dat het Duitse economische systeem volledig werd belast, was onjuist.' Het verlies aan vliegtuigen was enorm: de RAF voerde bijna driehonderdduizend nachtvluchten uit en verloor daarbij vijfenzeventighonderd vliegtuigen; tijdens zevenenzestigduizend dagvluchten achthonderdzesenzeventig. Er werd ongeveer twee miljoen achthonderdduizend ton bommen afgeworpen, bijna de helft daarvan Britse; 1944-45 was daarin het ergste jaar. Bij de bombardementen kwamen in totaal een half miljoen Duitsers om het leven, en zestigduizendvijfhonderdvijfennegentig Britten (minder dan het Franse aantal van zevenenzestigduizendachtenzeventig). Meer dan honderdzestigduizend geallieerde piloten stierven op het Europese strijdtoneel.

De opgaven van redenen waarom de bombardementen zijn uitgevoerd, zijn nooit algemeen aanvaard of gestaafd. Uiteindelijk waren er slechts twee argumenten voor. Het eerste was dat ze zeer ontwrichtend waren voor de Duitse economie: er waren voor de verdediging van de steden in heel Duitsland veel vliegtuigen en stuks geschut nodig, die niet konden worden ingezet aan de fronten waar werd gevochten, met name in Rusland. Hetzelfde had echter kunnen worden bereikt met een beleid van precisiebombardementen op munitiefabrieken en transportsystemen die het leger gaande hielden. Het andere argument heeft te maken met de moraal van de Duitsers, niet het moreel. Lionel Bloch, later een zeer gerespecteerde juridische autoriteit in Londen, was een jonge man die vreesde voor zijn leven, omdat hij in oorlogstijd een Roemeense Jood in Boekarest was. Hij zag de Duitse soldaten die verantwoordelijk waren voor de militaire operatie in de stad, zelfgenoegzaam rond paraderen, terwijl in 1941 de ene overwinning volgde op de andere, en hij had het gevoel dat de enige manier waarop ze ooit zouden leren hun gezonde verstand te gebruiken en zich humaan te gedragen, was als ze tonnen hoog explosief materiaal op hun dak zouden krijgen. Het valt niet te bewijzen, maar de haat tegen de Duitsers was toen zo wijdverbreid, dat een dergelijk argument er goed in ging. Bovendien steunde het Harris in alle acties die hij bijna aan het eind, in april 1945, ondernam, toen hij bommenwerpers nogal achteloos liet uitvliegen naar de historische steden aan de 'Romantische Straße' ten zuiden van

Würzburg om ze te vernietigen, en soms de vluchtelingen op de wegen achteloos liet doodschieten met machinegeweren. Dit was de belangrijkste inbreng van de Britten. In 1943 hadden ze echter ook nog een dominante stem in de algehele strategie, en dat was concentratie op het Middellandse Zeegebied.

Franklin D. Roosevelt stond onder deze omstandigheden enigszins onder druk van zijn eigen opperbevelhebbers om prioriteit te geven aan de Pacific. Het was aan hem te danken dat het accent in het beleid op Duitsland kwam te liggen, want er ontstond een enorme golf anti-Japanse publiciteit. Onschuldige Amerikaanse gezinnen met een Japanse achtergrond werden bijeengejaagd en naar kampen gedeporteerd, weg bij de Californische kust vandaan. Er kwamen al snel verhalen van de buitengewoon wrede behandeling van gevangengenomen Amerikanen en Filipino's, en er was een grote roep om wraak. Bovendien was de kans dat er een ramp zou plaatsvinden zeer groot, aangezien de machtige Japanse marine en luchtmacht een groot deel van de Pacific teisterden en ook Brits-Indië en Australië bedreigden. Hoewel de oorlog tegen Duitsland prioriteit had, kostte de oorlog in de Pacific enorm veel geld, met name voor de inzet van de marine. Er waren vooral landingsvaartuigen nodig, waar er hoe dan ook te weinig van waren: de Britten concentreerden zich op de bouw van bommenwerpers en de Amerikanen op de bouw van schepen, om het tekort aan te kunnen vullen dat wellicht zou ontstaan door de U-boten. Ze staken ook enorm veel energie in de bouw van vliegdekschepen. Meteen na de aanval op Pearl Harbor bestelden ze er dertien – waarmee ze uiteindelijk een vernietigende overmacht hadden – en een aantal onderzeeboten. Dit relatief grote aandeel van de marine in de strijdkrachten zorgde ervoor dat de prioriteit kwam te liggen bij de strijd tegen en het terugdringen van de Japanners. De val van de Filipijnen was een flinke dreun voor het leger; de Amerikanen konden echter de meeste codes van de Japanners lezen, en toen de Japanse marine aankwam in de Koraalzee, ruim achthonderd kilometer ten noordoosten van Queensland, waren ze er klaar voor. De Slag in de Koraalzee, begin mei 1942, was de eerste grote marineslag tussen schepen die elkaar niet eens in het vizier hadden, en de eerste waarin vliegdekschepen de strijd aanbonden met elkaar. Beide partijen verloren een vliegdekschip, en de Japanners trokken zich terug.

Vervolgens kwam in juni de beslissende slag, die om Midway. De Japanse marinechef, Isoroku Yamamoto, kende de Amerikanen en besefte heel goed dat een reus zich tegen hem aan het mobiliseren was. Hij zou een klap uitdelen en proberen de resterende vliegdekschepen te vernietigen. De Japanners stuurden daarom een grote strijdmacht om de Amerikanen naar het hart van de Pacific te lokken om te vechten. Ze voerden een afleidingsaanval uit op de Aleoeten, maar hun hoofdaanval was gericht op het eiland Wake, met name het atol Midway. Maar omdat de Amerikanen de Japanse codes konden lezen, stuurden ze hun vloot buiten de gevarenzone, zonder te worden ontdekt. De Japanners verzamelden een enorm leger en voerden op 4 juni een zwaar bombardement uit op de Amerikaanse vliegbasis op Midway, maar dat was geen beslissende slag. De Amerikanen antwoordden met een aantal tegenaanvallen die mislukten, waardoor de Japanners het idee kregen dat ze veilig waren: bommenwerpers die vertrokken vanaf de grond misten hun doel, vervolgens werden de torpedovliegtuigen die opstegen van de vliegdekschepen en die een lange en vlakke aanloop nodig hadden op hun doel, kapotgeschoten door de Japanse Zero jachtvliegtuigen. De Japanse admiraal vroeg zich daarop af of hij Midway nog een keer moest aanvallen, of dat hij op zoek moest naar de Amerikaanse oorlogsschepen en daar de aanval op moest openen. Hij besloot eerst het ene, vervolgens het andere, en zijn vliegtuigen op het dek werden voorzien van brandstof en munitie. Toen sloeg er een andere Amerikaanse eenheid toe, deze keer van duikbommenwerpers. Vier Japanse vliegdekschepen werden tot zinken gebracht. Het was de snelste beslissende strijd in de geschiedenis: binnen vijf minuten waren de Japanners hun enorme overmacht kwijt en hadden ze evenveel vliegdekschepen als de Amerikanen. Yamamoto had nog een enorme reserve achter de hand en verwachtte dat de Amerikanen zouden proberen nog zo'n overwinning te behalen, maar dat deden ze niet. Na deze slag werd de oorlog uitgevochten in twee verschillende gebieden: MacArthur met zijn leger aan de Australische kant – Nieuw-Guinea was groter dan Frankrijk en het kostte meer dan een jaar het te onderwerpen – en admiraal Chester Nimitz met de marine in de centrale Pacific, waar veel eilanden lagen die moeilijk te veroveren waren.

De volgende belangrijke slag was die om Guadalcanal – een van de Salomonseilanden, ten oosten van Nieuw-Guinea – waar de Japanners een grote vliegbasis aan het bouwen waren. In augustus 1942 landden daar zo'n zestienduizend mariniers; de daaropvolgende zes maanden voerden de Japanners echter troepen en vliegtuigen aan en vochten de bevoorradingskonvooien zelf een aantal slagen uit op zee. De verliezen aan beide zijden waren enorm. De Japanners konden die zich echter niet veroorloven, de Amerikanen wel. In februari 1943 wonnen ze de strijd, en in juni begonnen ze met veel bravoure aan een snelle tocht van het ene eiland naar het andere, het zogenaamde eilandhoppen, met als doel het isoleren van de Japanse basis bij Rabaul. De Japanners verzetten zich echter hevig, en het was nog een zeer lange weg naar Tokio. Het Brits-Indische leger moest een vergelijkbare lange afstand zien te overbruggen. Het was na aanval van de Japanners in 1942 vertrokken uit Birma, voor een gruwelijke mars door de kletsnatte jungle naar de grens van Brits-Indië. Het Brits-Indische leger was niet echt voorbereid op een wereldoorlog, de belangrijkste opdracht was de binnenlandse veiligheid. De Indische nationalisten – die probeerden te profiteren van de blunders van de Britten – waren vastbesloten de Britten te laten vertrekken uit Indië, getuige hun slogan 'Quit India', 'Weg uit Indië'. De Britten slaagden er in feite nog vrij makkelijk in de orde te herstellen, en het Indische leger bleef loyaal terwijl het groeide en op diverse tonelen opereerde, inclusief het Midden-Oosten. De aanvankelijke mislukkingen in Birma hadden echter een domino-effect in Bengalen: de scheepvaart en de rijstimport aldaar werden ernstig ontregeld. Bovendien gaf Churchill prioriteit aan de oorlogsinspanning, waarbij hij de behoeften van de burgerbevolking negeerde. Een ernstige hongersnood was het gevolg, drie miljoen mensen stierven de hongerdood. Birma was belangrijk, vanwege de route door dit land naar China. Daar werkte het Amerikaanse leger samen met de nationalisten onder leiding van Tsjang Kai-tsjek, omdat de Japanners probeerden hun controle op dit enorme land uit te breiden. In 1943 trokken de Britten de grens met Birma over, zonder veel succes overigens. Vervolgens probeerden de Japanners zelf in het voorjaar van 1944 Brits-Indië binnen te vallen. Nu was het hun beurt, ook zij ondervonden moeilijkheden met de bevoorrading. Van de vijfentachtigduizend Japanse manschappen raakten er vijfenvijftigduizend gewond; dertigduizend soldaten stierven, meestal van de honger. Hoewel de Japanners precies op dat moment startten met een offensief, dat leidde tot grote verliezen bij het nationalistische leger, slaagden de Britten er met Chinese hulp in de weg te openen naar Tsjoengking (Chongqing), de hoofdstad van Tsjang. De beslissing in de oorlog in Azië moest komen van de Amerikanen, die op dat moment bezig waren met eilandhoppen.

De strijd aan al deze fronten verliep moeizaam. De Japanners hielden overal verbeten stand, hoewel ze waarschijnlijk niet echt een idee hadden hoe ze de oorlog konden winnen. In de Pacific lagen veel eilanden, die allemaal moesten worden veroverd, en op die eilanden lagen bases, die vanuit de lucht moesten worden aangevallen en geïsoleerd. Om bij de Filipijnen te komen, zouden de Mariana Eilanden bezet moeten worden. Om daar te komen, de Marshalleilanden, en om die te bereiken, een paar kleine atollen ten noordoosten van Guadalcanal achter de Koraalzee. De eilanden waren echter een zeer moeilijk te bereiken doel. Een ervan, Tarawa, werd in november 1943 aangevallen. Het werd verdedigd door vijfenveertighonderd man soldaten, maar er waren nauwelijks overlevenden. In juni 1944 werd Saipan, ten oosten van de Filipijnen, verdedigd door dertigduizend man soldaten, verstopt in holen; bijna geen van hen overleefde de strijd, en hun vrouwen en kinderen sprongen van de kliffen om niet gevangengenomen te worden. De Japanners hadden inmiddels grote problemen met de bevoorrading van hun maritieme rijk, omdat onderzeeboten dertienhonderd van hun koopvaardijschepen (honderdvierentwintig daarvan hadden tanks aan boord, en driehonderdtwintig daarvan troepen) tot zinken brachten, die overigens – door een foutieve inschatting – nauwelijks werden geëscorteerd. Het maakte allemaal weinig verschil voor het fanatisme van het Japanse verzet. In juni 1944 naderden de Amerikanen met vijftien vliegdekschepen, bijna duizend vliegtuigen en een armada van oorlogsschepen de eerste eilanden op weg naar Japan, de Marianen. Tijdens de 'Great Marianas Turkey Shoot', de Slag om de Marianen, werden de verouderde Japanse vliegtuigen het slachtoffer van de nieuwe Amerikaanse radar en luchtafweergranaten, en neergehaald. De meeste Japanse onderzeeboten werden vernietigd. Tegenover een verlies van ongeveer dertig Amerikaanse vliegtuigen (hoewel er nog eens honderd verloren gingen omdat ze neerstortten of te weinig brandstof hadden) stond een verlies van vierhonderdvijftig Japanse vliegtuigen, bijna allemaal inclusief de bemanning, en drie onvervangbare vliegdekschepen. Dat was het einde van het Japanse leger van vliegdekschepen. Eind 1944 keerde MacArthur, zoals beloofd, terug naar de Filipijnen, waar de twee Amerikaanse legers de twee grootste eilanden omsingelden.

Vanaf 1943 vertoonde het Duitse verzet een vergelijkbaar fanatisme als dat van de Japanners. Het was inmiddels duidelijk dat de oorlog zou eindigen in een catastrofale nederlaag, maar Hitler nam aan dat hij het door een dosis geluk uiteindelijk toch zou redden – waarbij hij het twijfelachtige historische precedent aanhaalde van het onvoorziene overlijden in 1762 van de Russische keizerin Elizabeth, wier dood tijdens de Zevenjarige Oorlog – omdat haar opvolger een fanatiek bewonderaar was van het Pruisische leger – Pruisen redde van de ondergang. Hitler was vastbesloten door te gaan tot het bittere eind, en rekende daarbij op nieuwe wapens als de straalmotor en de Schnorkel onderzeeboot. Het onderzoek naar atoomsplitsing ging ook door, hoewel het geen prioriteit had en er geruchten waren over dodelijke straling. Was dit een ouderwetse oorlog geweest, dan had Hitler contact gezocht met de Russen, om van bondgenoot te wisselen. Hoewel er mannen op het Duitse ministerie van Buitenlandse Zaken zaten die in het geheim de Russische vertegenwoordiger in Stockholm benaderden, kregen die geen ruggensteun. Toen ze vervolgens de Britten benaderden, kregen ze daar ook geen voet aan de grond, en toen een paar officieren in juli 1944 probeerden Hitler op te blazen, werden de namen van de Duitsers die geprobeerd hadden met de Britten te praten, bekendgemaakt op de BBC. Deze beslissing werd ingegeven door de angst dat Stalin anders zou denken dat de Britten probeerden achter zijn rug om een deal te sluiten met Hitler. De vermeende verraders werden geëxecuteerd en hun gezinnen werden geïnterneerd in kampen. De Duitsers kwamen daardoor nog verder buiten de realiteit te staan. Toen een aantal realistische, bij Stalingrad gevangengenomen hoge officieren aandrong op de vorming van een Duitse militaire liga die een leger zou oprichten tegen Hitler, kregen ook zij zeer weinig response. En op het laatst, toen dorpelingen in Baden bevrijd werden door de Amerikanen, ging een aantal van hen de berg op waar de Gestapo zich verborg, en beschuldigden ze hun buren openlijk van defaitisme. Dit werd een oorlog, zowel met Duitsland als met Japan, die doorging tot het bittere eind. Toch werd hij nog niet uitgevochten in het land waar dat uiteindelijk wel moest gebeuren: in Frankrijk. De uitkomst van de schijnbewegingen en onbelangrijke voorvallen was, dat de grootste inspanning van de Britten en Amerikanen nu plaatsvond in het Middellandse Zeegebied, en zich richtte tegen de kleinste van de asmogendheden: Italië.

Het was duidelijk dat Italië nu uit de oorlog kon worden geschopt. Hun leger lag in puin. De geallieerden landden op 9 juli 1943 op Sicilië, maar het was geen voorbeeldige actie. Ze speelden op safe, ploeterden langs de rand van het eiland en duwden de Duitsers gewoon over de smalle Straat van Messina naar de teen van de laars van Italië. Eind juli volgde er een coup en werd Mussolini van zijn troon gestoten; de koning, Victor Emmanuel III, liet hem arresteren door troepen die loyaal waren aan de kroon. Mussolini werd afgevoerd, zogenaamd om 'veiligheidsredenen', en kwam uiteindelijk terecht in een bergresort in de Apennijnen, van waaruit Hitler hem met behulp van een luchtlandingsoperatie liet bevrijden. Hij werd onder bescherming van de Duitsers geïnstalleerd als de leider van een Fascistische Republiek in het noorden, in het stadje Salò aan het Gardameer, maar het was een staat die deed denken aan een sinistere operette. Italië liep op 8 september over naar de andere kant, maar er was grote verwarring wat betreft de voorwaarden van de overgave en nog meer verwarring wat betreft de invasie van het vasteland. De landing in de teen van de laars (op 3 september, de dag waarop de wapenstilstand werd ondertekend) bleek uiteindelijk zinloos toen het Britse Achtste Leger bijna vijfhonderd kilometer ten noorden het gebied rond Salerno binnentrok en geen enkele tegenstand ontmoette. Plannen voor landingen vanuit de lucht leidden eveneens tot niets: het enige echte succes was de val van Taranto, in de hak van de laars, maar opnieuw was er vertraging en verwarring bij de exploitatie van dit succes. Natuurlijk hadden de Duitsers nu een coup hebben moeten overwegen tegen Hitler, vergelijkbaar met die tegen Mussolini, maar dat gebeurde niet: de nazi's waren veel meedogenlozer in het elimineren van de oppositie dan de fascisten in Italië, waar de monarchie, de kerk en het leger allemaal centra waren van potentieel verzet. Half augustus maakten de Duitsers een legergroep actief onder het bevel van Rommel, met een nieuw leger in Zuid-Italië, onder het bevel van de formidabele Albert Kesselring. De Duitsers hadden het geluk dat het ruige terrein in de teen van de laars van Italië de opmars van de geallieerden ernstig bemoeilijkte. Ook vernietigden de Duitsers op efficiënte wijze de bruggen in de regio. De geallieerden concentreerden zich daarom elders. De Amerikanen hadden verwacht dat de landing bij Salerno door de overgave van de Italianen een formaliteit zou zijn, maar toen ze eenmaal landden, stuitten ze op een zootje bij elkaar gerapte Duitse strijdgroepen. Er arriveerden Duitse versterkingen die de tegenaanval inzetten en pas echt werden gestopt na een kolossaal bombardement vanuit de lucht en vanaf zee, waarbij dagelijks meer dan duizend ton bommen werden afgeworpen. Op 18 september veroverden de geallieerden dan eindelijk Salerno, en negen dagen later de luchthaven Foggia, belangrijk voor de aanvallen op Zuid-Duitsland en de Balkan. Begin oktober was heel Zuid-Italië in geallieerde handen. Ze kregen echter te maken met een paar zeer defensieve linies waar Kesselring afmattend verzet wist te organiseren. De Duitsers zetten de Pontijnse moerasgebieden onder water en takten ook rivieren af om valleien onder te laten lopen. Het Amerikaanse Vijfde Leger had zes weken nodig om zich elf kilometer vooruit te worstelen naar de Duitse Gustavlinie, waar het klooster van Monte Cassino – dat met zijn klassieke dikke oude muren, stereotype voor dit soort kloosters, leek op een vesting – het landschap domineerde. De Duitsers, die de historische status van het gebouw naar waarde wisten te schatten, beloofden het niet voor militaire doeleinden te gebruiken. De Amerikanen vermoedden echter dat het hulp bood bij de observatie van hun linies en vielen het vier keer aan. Omdat het niet lukte het klooster in te nemen, gooiden ze het plat. Dat loste echter niets op, omdat de Duitsers in het puin een veel betere dekking hadden. Ook was het weer slecht genoeg om alle inspanningen van 17 januari tot 18 mei teniet te doen. Uiteindelijk werden de Duitsers door twintig geallieerde divisies over een tweeëndertig kilometer lang front verjaagd, met name omdat Frans-Algerijnse en Marokkaanse troepen zich een weg hadden gebaand om de heuvels achter het front heen.

Churchill wilde de Italiaanse operatie versnellen. Hij hoopte gebruik te kunnen maken van de Britse overmacht in de lucht en op het water voor nog een aanval met amfibievoertuigen, deze keer bij Anzio, ten zuiden van Rome. Het was zijn laatste zelfstandige strategisch initiatief. Alleen wat betreft de kracht en het verrassingseffect sneed het plan hout. De opperbevelhebbers wilden de landingsvaartuigen echter in februari elders inzetten. De landing bij Anzio kwam dus op het verkeerde moment, eind januari, toen de troepen nog vermoeid waren. Het begon goed en één patrouillejeep bereikte zelfs Rome. De Amerikaanse generaal John Lucas was echter ontzettend voorzichtig en vastbesloten zijn basis te versterken, en de reactie van de Duitse troepen was fel. (Die werden bovendien geholpen door een muggenplaag als gevolg van het onder water zetten van de Pontijnse moerassen.) Ze bombardeerden onafgebroken de stranden waarop de landingen plaatsvonden, en de geallieerden slaagden er pas eind mei in te ontsnappen, maar toen was de Cassinolinie al gebroken. Naast dit alles was ijdelheid belangrijker dan een fatsoenlijke overwinning. De Amerikaan Mark Clark – reeds overschaduwd door Dwight Eisenhower en George Patton – besloot dat zijn naam in de schijnwerpers moest staan als de man die Rome innam. Dat was belangrijker dan een aanval in het binnenland om de Duitsers, die zich aan het terugtrekken waren uit Cassino, af te snijden. Hij liet zelfs Britse officieren arresteren die zijn verbod negeerden om ook de stad binnen te trekken. De Duitsers slaagden er ongestoord in met zeven divisies weg te komen naar het oosten; de inname van Rome door de geallieerden kwam absurd laat en werd bovendien overschaduwd door de landingen in Normandië. Over de Slag bij Anzio moet nog dit worden gezegd: het Duitse opperbevel liet na de landingen de plannen vallen om vijf van Kesselrings beste divisies over te plaatsen naar Noordwest-Europa. Wat betreft de invasie van Frankrijk, was dat duidelijk behulpzaam. De prijs was echter hoog voor de geallieerden: tot de val van Rome drieenveertigduizend doden en gewonden, terwijl het Duitse leger in Zuid- en Midden-Italië nog een jaar standhield en intact bleef. Al met al was dit, gezien de enorme kentering van het tij waarmee Duitsland eind 1942 te maken kreeg, een opmerkelijke wending van de gebeurtenissen. Maar in 1944 daalde het lot van Sodom en Gomorra neer op Centraal-Europa. Waren de krachtsverschillen in Italië en de illusies van het Bomber Command minder groot geweest, dan was de oorlog misschien een jaar eerder geëindigd.

Hoofdstuk 7

Nazisme en communisme

De overgave bij Stalingrad was een enorme deuk in Hitlers prestige

Een Russische tank in de straten van Berlijn, april 1945.

Toen de 'Anglo-Amerikanen' en de 'Aziatische hordes' dichterbij kwamen, verkeerde Duitsland in staat van beleg. De nazi's claimden steeds vaker dat ze vochten voor 'het Nieuwe Europa'. Dat was de naam van een tijdschrift dat werd uitgegeven door Josef Goebbels, de minister van Propaganda, en zowel de titel als de artikelen ervan klinken bekend: 'Europa vecht voor eenheid', 'De jeugd is de toekomst voor Europa' en 'De economische eenheid van Europa'. Een andere titel is echter minder sussend: 'Het Nieuwe Europa: een overwinning op de Angelsaksische vijandschap'. Met name na 1942, toen Duitse steden vernietigd werden door bommen en de legers zich terugtrokken naar het oosten, deed dit soort praat de ronde. Soms sloten hooggeplaatste Fransen zich daarbij aan. (Geestelijk, en soms ook fysiek, marcheerden ze op naar het Europa dat in de jaren vijftig zou ontstaan.)

Nog in shock na de nederlaag zette de Franse regering die het stokje overnam en haar zetel had in haar kleine hoofdstad Vichy, een programma op voor nationaal herstel. Een aantal ministers was technicus in de industrie en vastbesloten Frankrijk weer groot te maken door samenwerking met Duitsland, dat ze bewonderden om zijn meedogenloosheid en efficiëntie. Na de inval van de geallieerden moesten ze vluchten en kwamen ze terecht op kasteel Sigmaringen in Zuidwest-Duitsland: dikkige mannen keurig in het pak, die vochten om de kamer met uitzicht (een episode die op memorabele wijze in de herinnering wordt teruggeroepen door de novellist Louis-Ferdinand Céline, een virtuoos in zwarte humor die de arts was van maarschalk Pétain). In 1943 bespraken ze met de Duitse machthebbers hoe de Franse en de Duitse economie op elkaar moesten worden afgestemd. Verbazingwekkend wat voor puinhoop ze ervan hebben gemaakt. De grondstoffen in bezet Europa en de landen daaromheen zouden Hitler een oorlogseconomie moeten hebben opgeleverd die zich kon meten met die van de Amerikanen en de Britten. Feit was, dat Frankrijk van 1940 tot 1944 slechts vijfentwintighonderd vliegtuigen produceerde, de meeste daarvan oefentoestellen. De enige plekken waar tijdens de oorlog meer werd geproduceerd dan ervoor, waren België en de Tsjechische gebieden, die relatief gezien in de watten werden gelegd (en, eerlijk gezegd, ook geen bombardementen te verduren kregen).

De Duitse bezettingsautoriteiten buitten elke economie die ze in handen kregen uit en hanteerden een wisselkoers die belachelijk in hun voordeel was. Ze kochten spotgoedkoop op wat ze maar konden krijgen. In het geval van Göring: schilderijen van Parijs-Joodse kunsthandelaars die gedwongen werden hun waar af te geven. In Parijs reden de mensen rond op geïmproviseerde fietsen en verloren een derde van hun gewicht, hoewel dit deels kwam door de van haat vervulde relatie tussen de stad en het platteland. In Nederland was er in de winter van 1944-45 sprake van een echte hongersnood, de mensen waren gedwongen tulpenbollen te eten, terwijl er tot aan het eind van de oorlog voedselvoorraden lagen in Wenen, zelfs bij de Russen in de buitenwijken van Mödling (Oostenrijk). Slowakije, met zijn boerenlandbouw en gebrek aan grote steden, bleef vol liggen met voedsel. Maar op welke logische manier dan ook gebruikmaken van de kracht van de West-Europese economie: daar deden de Duitse autoriteiten niet aan. Sommigen van hen waren sowieso onbeschofte, domme figuren. De Franse industrie had Duitse kolen en machines nodig wilde die op gang komen. De chef planning aan de kant van de Duitsers, Albert Speer, voelde inderdaad met hen mee en had een vriendschappelijke ontmoeting met zijn ambtgenoot, Jean Bichelonne. Maar terwijl er machines naar het westen gingen, dwong Fritz Sauckel – verantwoordelijk voor de dwangarbeid – honderdduizenden Franse arbeiders om naar het oosten te gaan. De hele zaak werd nog eens bemoeilijkt door de miserabele lonen en condities die in Duitsland op grote schaal werden gehanteerd voor buitenlandse arbeiders. (Een aantal industriëlen dat hierbij betrokken was, werd later aangeklaagd voor oorlogsmisdaden.) De bombardementen scherpten de geesten van mensen, en het was dus waar dat de munitieproductie in die zin doelmatiger werd georganiseerd, dat ongeschoolde Oekraïense vrouwen tewerk werden gesteld aan de lopende band in de fabriek, waar ze steeds dezelfde mechanische handeling moesten doen met één enkel onderdeel, totdat er aan het andere eind een vliegtuig of een stuk geschut tevoorschijn kwam. Voorheen hadden teams geschoolde werklieden met elkaar gewedijverd om een heel vliegtuig in elkaar te zetten, en ze hadden dat prima gedaan. Duitse arbeiders stonden natuurlijk bekend om hun toewijding, en tot aan het eind van de oorlog duurde de leertijd formeel nog steeds vier jaar, omdat iedere leerling vier aparte soorten vaardigheden onder de knie moest krijgen. Hun zorgvuldigheid leidde echter tot een zeer beperkte output. Er werd vaak verkeerd geïnvesteerd: in 1938 werden er in Oostenrijk drie grote fabrieken van vliegtuigmotoren opgezet, maar die werden zo inefficiënt geleid, dat ze pas in 1943 begonnen te produceren. Vervolgens werden ze platgebombardeerd. Duitsland produceerde nauwelijks meer oorlogsgoederen dan Groot-Brittannië in zijn eentje, en een deel van de tijd ook veel minder vliegtuigen. Speer voerde de productie op, maar dat ging zeer ten koste van de betrouwbaarheid. In 1944, bijvoorbeeld, produceerden de marinewerven eindelijk een prototype onderzeeboot dat zeer lang onder water kon blijven en onopgemerkt zijn accu's kon opladen. De eerste presentatie aan het publiek, in Danzig, eindigde echter in een schertsvertoning: het laswerk was slordig gedaan, waardoor hij ging zinken, waarna hij 's nachts moest worden teruggesleept naar het dok. Er werden in 1944 natuurlijk ook vliegtuigen geproduceerd, maar het tekort aan ervaren piloten was zo groot dat ze snel werden neergeschoten. In het laatste jaar van de oorlog werden bijna alle piloten die vers van de opleiding kwamen al na een maand uit de oorlog geschoten. Gegeven deze omstandigheden was 1943 het laatste jaar waarin Duitsland nog genoeg kracht had om te voldoen aan de behoeften van dat moment: er kwamen zware tanks, hoewel niet genoeg in aantal.

Maar ook al maakten de nazi's niet van bezet Europa wat ze ervan hadden kunnen maken, er was één kwestie waar wel sprake was van een sinistere efficiëntie. Half september 1941 werd Kiev ingenomen; er werden meer dan een half miljoen Russische soldaten krijgsgevangen gemaakt, en Hitler dacht dat hij de oorlog had gewonnen. Toen Heinrich Himmler in Rastenburg op bezoek kwam, heerste er een jubelstemming. Himmler was het hoofd van de SS, de elitetroepen van de nazi's, en daarnaast ook hoofd van politie, leider van de veiligheidsdiensten in de bezette gebieden en baas van een grote hoeveelheid concentratiekampen. Een van de afdelingen van de Gestapo, onder leiding van Adolf Eichmann, hield zich bezig met de Jodenkwestie. Hoewel de discussie over dit onderwerp verondersteld werd geheim te zijn, kunnen we concluderen dat Himmler en Hitler in september met een plan kwamen voor de totale vernietiging van alle Joden in Europa. Hitler had in 1939 immers al in zijn toespraak gedreigd hen uit te roeien, al was op dat moment vooral het plan om hen te verdrijven uit Duitsland, of in elk geval uit het openbare leven. (Net iets meer dan de helft van de Duitse Joden slaagde er daadwerkelijk in uit het land weg te komen.) Maar in het bezette Oost-Europa waren de nazi's veel besluitvaardiger. Ze beweerden dat de Joden en de communisten één pot nat waren, en voordat Hitler Rusland binnentrok, gaf hij het bevel dat leden van deze bevolkingsgroepen gewoon standrechtelijk moesten worden geëxecuteerd. In Polen waren de drie miljoen Joden inmiddels al bijeengedreven in getto's, meestal een paar smerige, overbevolkte straten, waarin zich allerlei ziekten verspreidden. *Einsatzkommandos* – speciale organisaties in de achterhoede van het leger – trokken rond om Joden af te slachten: ze zetten hen in een rij langs greppels en schoten op hen, zodat ze in de massagraven vielen. Soms werden ze geholpen door de lokale bevolking, want die haatte de communisten en schoor hen soms over één kam met de Joden. Himmler kwam langs, naar we mogen aannemen om te zeggen dat het allemaal nogal een rommeltje was en dat de boel slimmer moest worden aangepakt. Vanaf dat moment werden de Joden in Duitsland en in heel bezet Europa met de dood bedreigd. Er waren bureaucratische obstakels, en sommige gewetensvolle mensen gebruikten die als uitstel van het onvermijdelijke: wat te doen met het bezit van de Joden, hoe wist je wie Joods was, wat te doen met Joden met een buitenlands paspoort enzovoorts. Om op dit soort vragen een antwoord te krijgen, werd er in januari 1942 in een villa aan de Wannsee in Berlijn een conferentie gehouden, die – niet helemaal correct – de geschiedenis inging als het moment waarop de beslissing werd genomen dat de Joden moesten worden uitgeroeid. De juridische obstakels werden uit de weg geruimd, en de ramp begon. De Russische en de Poolse Joden werden hoe dan ook afgeslacht of gingen op een andere manier dood: van de honger of door ziekten. Het programma werd vervolgens uitgebreid naar West-Europa, en Joden moesten naar kampen in Polen worden vervoerd. Tot het uitbreken van de oorlog lag de nadruk op het verdrijven van de Joden, onder het mom dat ze een slechte invloed hadden (de sensatiepers, de moderne kunst, het communisme enzovoorts). Zij die bleven, kregen te maken met eindeloze vernederingen. Dat waren zowel kleine als grote pesterijen, zoals het verbod op vogelzaad voor zangvogels of op de ontvangst van pakjes uit het buitenland. Ze konden echter nog niet systematisch uitgeroeid worden. Goebbels – *Gauleiter* of leider van de nazipartij, in dit geval van het district Berlijn – viel de Joden die achterbleven in de stad voortdurend en genadeloos lastig. Na de Wannseeconferentie was de weg vrij voor de uitroeiing van de Europese Joden.

En zo begon de Holocaust. De Joden moesten geregistreerd worden en per trein naar het oosten gedeporteerd, naar Riga, Minsk, diverse plaatsen in Polen. Daar werd de mensen die lichamelijk in staat waren te werken dwangarbeid opgelegd, en kregen de mensen die daar niet toe in staat waren een *Sonderbehandlung* – een 'speciale behandeling', zoals dat heette. Uiteindelijk werd er gebruikgemaakt van gaskamers. De beruchtste zijn die van het grote kamp Auschwitz, aan de oude Duits-Poolse grens. In december 1941 arriveerden de eerste gedeporteerden vanuit Duitsland en zij werden doodgeschoten. Vanaf het voorjaar van 1942 werden de Poolse getto's leeggehaald. Ze waren in de zomer van 1943 bijna leeg toen er uiteindelijk een opstand kwam onder de Joden die er nog zaten. (Ze hadden een paar pistolen gekregen van het Poolse verzet.) Een paar overlevenden slaagden erin zich achter de gettomuren schuil te houden. De film van Roman Polanski *The Pianist* is een meesterlijke vertolking van de gebeurtenissen in deze periode. De Franse en de Italiaanse Joden– hoewel onderworpen aan boosaardige wetten – overleefden het met name omdat religieuze instellingen, particulieren en een aantal gezaghebbende figuren samenspanden om te voorkomen dat ze werden gedeporteerd (hugenootse burgemeesters in Frankrijk deelden valse papieren uit). De Belgische Joden werden stilzwijgend beschermd door de Duitse militaire gouverneur, Alexander von Falkenhausen, die na de oorlog voor de rechter kwam maar werd vrijgesproken. De Belgische Joden hadden, net als de Franse, genoeg bewegingsvrijheid om listig te werk te gaan, of misschien was het wel gewoon zo dat in België of Frankrijk de mensen gewend waren te dealen met een staat die zijn burgers onderdrukte en graag alles van hen wilde weten. Toen hun verteld werd dat ze een Joodse Raad moesten opzetten, zochten ze naar manieren om dat niet te hoeven doen en vonden die ook. In Nederland, waar de staat – naar Noord-Europees gebruik – gold als eerlijk en fatsoenlijk, werd wel zo'n raad opgezet en toen de bureaucratie eenmaal van kracht was, moest deze gedwee de namen en adressen overdragen die stonden op lijsten van verzoeken om hulp. Deze Joden werden door de Nederlandse politie opgepakt en geleidelijk aan naar de vernietigingskampen gestuurd. Ongeveer negentig procent van de Nederlandse Joden kwam daar uiteindelijk terecht. En dat in een land waar zo weinig antisemitisme was, dat er zelfs een algemene staking werd uitgeroepen tegen hun lot. In januari 1945 organiseerde de Joodse Raad een klein feestje om zichzelf te feliciteren met het feit dat ze de gemeenschap bij elkaar hadden gehouden. (Zij werden ook gedeporteerd, maar naar Theresienstadt, in de buurt van Praag, het naar verluidt bevoorrechte kamp dat werd gebruikt als etalage voor de inspecteurs van het Rode Kruis en andere controleurs. Na hun terugkeer naar Nederland stonden ze terecht wegens collaboratie.) Het Vaticaan opereerde behoedzaam en kreeg veel kritiek dat het niet genoeg deed om de Joden te beschermen, maar Hitler zei minstens één keer dat zodra de oorlog voorbij was, zijn volgende vijand de katholieke kerk zou zijn. Hij zou ook met één knik de neutrale status van de paus teniet kunnen hebben gedaan. In het katholieke Slowakije en Kroatië liet het Vaticaan een krachtig protest horen en slaagde het erin de deportaties een halt toe te roepen; de paus en andere invloedrijke neutralen grepen ook in toen in 1944 in Hongarije de verschrikkingen begonnen.

Het aantal omgebrachte Joden wordt meestal geschat op zes miljoen, hoewel onmogelijk vast te stellen is hoeveel er zijn vergast en hoeveel er gestorven zijn van de honger of zich dood hebben gewerkt. Auschwitz zelf was niet alleen een vernietigingskamp; er was nog een nevenkamp, Monowitz, met een chemische fabriek (in het huidige Polen nog steeds in gebruik), waar in nauwe samenwerking met IG Farben geprobeerd werd synthetische rubber te produceren (hetgeen mislukte). Specialistische Joodse werknemers konden daar overleven omdat ze waardevol waren, maar meestal stierven ze, doordat ze er niet meer tegen konden of als gevolg van geweld. Ambitieuze dokters gebruikten in een aantal beruchte gevallen kampgevangenen voor experimenten: hoeveel kou of honger kon een lichaam bijvoorbeeld verduren, of hoe reageerden tweelingen op deze of gene behandeling? De beroemdste van hen, Josef Mengele, was de ambitieuze telg uit een katholieke familie uit een klein stadje in Baden (die landbouwmachines fabriceerde) en had geneeskunde gestudeerd. Het vooruitstrevendste onderdeel daarvan was op dat moment de genetica. Hij kwam zelf, na een periode aan het oostfront, via zijn promotor in Frankfurt terecht in Auschwitz. Daar ging hij prat op het feit dat hij erin geslaagd was een tyfusepidemie te stoppen. (Hij gebruikte gifgas om de zieken met deze infectie te doden en liet hun lichamen verbranden in de beruchte ovens.) Daarna ging hij aan de slag met genetische experimenten, en toen het kamp werd geëvacueerd, had hij een doos vol gruwelijke vondsten klaar voor zijn professor. Het deed hem pijn dat hij niet werd erkend, en hij negeerde de orders van zijn familie om meteen op de loop te gaan. (Uiteindelijk vluchtte hij naar Buenos Aires, waar hij een tijdje een apotheek had met de naam 'Mengele'.) Bij dit alles waren zeer ervaren artsen betrokken. Na de oorlog steeg de ster van Mengeles professor, Otmar von Verschuer, hoog in West-Duitsland. Churchill had absoluut gelijk met zijn waarschuwing aan de wereld dat als de nazi's zouden winnen, er een groot duister gebied zou zijn waarin de wetenschap was misbruikt. Orwell bedoelde hetzelfde met zijn opmerking dat Hitlers beeld van de toekomst gewoon was dat tweehonderdvijftig miljoen blonde mensen zich zouden voortplanten.

Na de oorlog is vaak de vraag gesteld of gewone Duitsers precies wisten wat er gebeurde. Bij het begin van de Britse bombardementen noemden gewone Duitsers het een vergelding voor wat de

Joden was aangedaan. Er gingen geruchten over vreselijke gruweldaden in het oosten, geruchten die werden herhaald door Duitse generaals in Britse gevangenschap. (Die waren soms geschokt,
maar zeker niet in alle gevallen.) De details van de *Endlösung* waren niet bekend, die werden zo veel mogelijk geheim gehouden,
en er werden verhullende termen gebruikt als *Sonderbehandlung*.
Een groot deel van het plan was afhankelijk van de collaboratie
van derden, soms zelfs Joodse Raden. In Nederland, bijvoorbeeld,
hielden zes SS-officieren zich hiermee bezig. Auschwitz zelf, waar
één miljoen mensen naartoe werden gestuurd, telde niet meer dan
drieduizend kampwachters, zelfs toen vooral niet-Duitsers. Kreeg
de SS te maken met regelrechte obstructie of verzet, dan belem-
merde dat haar ernstig in haar functioneren, zoals in Frankrijk en
in Italië, waar antisemieten zelfs gedwongen werden te verhuizen
om de Joden te beschermen tegen de ergste verschrikkingen. Tijdens het beleg van Boedapest, begin 1945, negeerden Duitse officieren zelf opzettelijk het bestaan van een schuilplaats voor Joden die gerund werd door een lutherse dominee, recht onder een
van hun bolwerken in de buurt van het kasteel. Maar het hele idee
van het uitroeien van de Europese Joden was onvoorstelbaar, en
veel mensen, ook Joden, geloofden gewoon niet het verhaal dat
op 1 augustus 1942 door een geschokte Duitse industrieel verteld
werd aan het Joodse Comité in het neutrale Zwitserland. Er kwam
mondjesmaat nieuws naar buiten; pas in 1944 werden de feiten
duidelijk, toen de Russen het bewijs onthulden van het bestaan
van de kampen, bewijs dat de Duitsers hadden geprobeerd te vernietigen. Auschwitz zelf werd pas in januari 1945 bevrijd. Tegen die
tijd werden de gevangenen, uitgemergelde, doodzieke mensen,
langs de besneeuwde wegen naar verschillende andere kampen in
Duitsland gejaagd.

Hitler had een fundamenteel geloof in de superioriteit van de
Ariërs, een geloof dat zijn oorsprong vond in de romantische Duit-

se verering van het Griekenland uit de oudheid. Deze superioriteit kon worden veranderd in de 'Triumph des Willens', waarmee bedoeld werd dat de Arische rede en dadendrang, tezamen met de Arische wilskracht, alles voor elkaar kreeg. Leni Riefenstahl (een van haar grootouders was Joods) maakte een film die gewijd was aan dit thema, *Triumph des Willens*, een verslag van het partijcongres van de nazi's in Neurenberg in 1934. Een andere film, *Olympia*, voorzien van een proloog met seksloze perfecte lichamen in een lendendoek, was een verslag van de beroemdste Olympische Spelen aller tijden, die van 1936 in Berlijn. De overwinningen van de zwarte Amerikaanse atleet Jesse Owens maakte de nazi-ideeën over de superioriteit van het blanke ras belachelijk. Hitlers eigen carrière was een voorbeeld van deze triomf van de wil, en hij was ervan overtuigd dat de Duitse wetenschap fantastische wapens zou produceren waarmee uiteindelijk het corrupte westen en het krioelende oosten konden worden verslagen. Helemaal aan het eind van de oorlog, toen de Russen het Pruisische ministerie van Financiën hadden veroverd, waren er Duitsers die nog steeds geloofden dat er een of andere monsterlijke, dodelijke straling zou worden geproduceerd waarmee ze hun vijanden konden vernietigen. En in april 1945 gingen in Praag nog steeds ambtenaren de scholen langs om de voeten van de kinderen op te meten, om te kunnen beoordelen of ze van het Germaanse ras waren. Wat zo vreemd is aan dit alles, is dat Hitler zelf in februari 1945 zei dat het verspilde moeite was geweest, dat het onmogelijk was uit te zoeken wat ras nu werkelijk inhield. Maar hij had de natie al gehersenspoeld, vooral de jonge mensen, van wie velen in uniform zeer fanatiek waren in hun haat en verachting voor iedereen die niet Duits was, met name de Slaven en de Joden.

De overgave bij Stalingrad was een enorme deuk in Hitlers prestige. Hij werd nu op alle fronten bedreigd – in de lucht, op zee, in het westen, in het zuiden – terwijl zijn bondgenoten het geleidelijk aan lieten afweten of, in het geval van Japan, gecontroleerd werden verslagen. De herovering van Charkov gaf hem evenwel enig respijt, en hij was van plan daar gebruik van te maken om het initiatief te heroveren in Rusland. Met een aantal nieuwe wapens in zijn arsenaal gaf hij orders voor een offensief, 'Operatie Citadel', die zich concentreerde op Koersk en Orjol. Operatie Citadel was deels gebaseerd op de onjuiste informatie dat de Russen tot weinig in staat waren. Hoewel hun totale verliezen enorm waren – meer dan twaalf miljoen manschappen tot dan toe – bleken ze nog 5,7 miljoen soldaten in het veld te hebben tegenover de Duitsers 2,7 miljoen. Gedacht werd dat ze eenentwintigduizend tanks hadden verloren. Hoewel de Duitsers er ook zeer veel hadden verloren, herstelde hun productie zich, zowel in kwaliteit als in kwantiteit. In 1943 liepen er zesduizend tanks van de band; twee vijfde daarvan was een zware Tiger of een mediumgewicht Panther. Sommige Russische bemanningen schrokken zo bij het zien van deze tanks, dat ze uit hun eigen tanks sprongen en op de vlucht sloegen. Het Duitse opperbevel verwachtte nu dat Stalin misschien de grote bocht in de Dnjepr zou aanvallen – dun bezet gebied, kwetsbaar vanuit het zuiden en noorden en vitaal voor de Duitse oorlogsindustrie – vanwege de kolen in Stalino (ook wel Donetsk genoemd), de waterkrachtcentrale in Zaporizja (weer open in januari 1943) en het mangaan in Nikopol. Paul Pleiger, verantwoordelijk voor de kolenvoorraden van de Duitsers, zei zelfs dat ze zonder de zes of zeven miljoen ton kolen in het Donetsbekken hun wapenproductie niet konden opvoeren. Het oorspronkelijke plan van Operatie Citadel was niet onzinnig. Hitler reisde op en neer naar het vooruitgeschoven hoofdkwartier bij Zaporizja om bezwaar te maken tegen de door Manstein ingediende plannen voor een mobiele verdediging, simpelweg omdat bepaalde gebieden niet konden worden verlaten. Het vervoer van de troepen duurde niettemin veel langer dan verwacht door luchtaanvallen, aanslagen door de partizanen, de vernietiging van bruggen en zelfs de schier onmogelijke opgave om een trein om te draaien, zodat hij met zijn neus in de andere richting kwam te staan. In april was deze aanval misschien zinvol geweest, maar toen werd hij eindeloos uitgesteld, en de Russen waren vanuit een aantal bronnen zeer goed op de hoogte wat er ging gebeuren. De Britten lazen de berichten van de Duitsers en wisten het ook. Ze wisten ook dat Stalin hen niet zou vertrouwen. En dus zetten ze opnieuw, net als voor Operatie Barbarossa, hun zogenaamde spionagegroep 'Lucy' in Zwitserland in. Die werd verondersteld informatie door te krijgen van een Duitse stafofficier, waarna deze informatie als gevolg van een overeenkomst met de Russische communistische spion Rado rechtstreeks bij Stalin terechtkwam. Stalin wist op zijn beurt van zijn Britse spion – John Cairncross, die in 1940-41 een hoge positie bekleedde bij de toenmalige regeringen – welk geraffineerd bedrog er plaatsvond. Het plan van de Duitsers was echter duidelijk. De linie stak ver uit in westelijke richting, met de stad Koersk aan het hoofd, maar er waren ook saillants met Duitse troepen in het noorden – bij Orjol – en het zuiden – bij Belgorod – van waaruit zij de beroemde tangbeweging konden uitvoeren.

Op 5 juli begon de slag om Koersk. Dit geldt als de grootste veldslag te land in de geschiedenis: er waren drie miljoen soldaten, negenenzestigduizend stuks geschut, dertienduizend tanks en twaalfduizend vliegtuigen bij betrokken. De opbouw van het offensief zelf was een misvatting: een frontale aanval zonder verrassingseffect, geheel in tegenstelling tot de lessen uit 1940. Guderian bouwde zijn pantseraanval volledig op naar die van de stoottroepen in 1918, langs de linies waar het minste verzet te verwachten viel. Nu was echter de plek en zelfs het tijdstip waarop de aanval zou plaatsvinden bekend, en waren er al lang van tevoren voorbereidingen getroffen voor de verdediging. Alleen al

aan het front bij Voronezj lag er ruim vierduizend kilometer loop-
graven, met bijna een miljoen mijnen, in de essentiële delen van
het front. De Duitsers waren, ondanks hun faam, ook nogal zwak
wat de tanks betreft: ze konden over slechts driehonderdachten-
twintig ultramoderne tanks beschikken (van de vijfentwintighonderd). De slag begon op 5 juli om halfvier in de ochtend. De luchtmacht van het Rode Leger startte de aanval, hoewel de Luftwaffe
erin slaagde de meeste van de vierhonderd bommenwerpers die
opstegen uit de lucht te schieten. Generaal Walter Model van de
noordelijke tanghelft gebruikte slechts een paar van zijn tanks,
waarschijnlijk wilde hij ze sparen voor de aanval van de Sovjets,
waarvan hij wist dat die ging komen. Een aantal Ferdinands – elk
met een gewicht van zeventig ton en onkwetsbaar geacht – kwam
terecht in een loopgravensysteem van de Russen, en de helft van
de Tigers liep stuk op de mijnen. Op 13 juli moest Model helemaal
stoppen met de aanval om tegenstand te bieden tegen een van
die reusachtige aanvallen van de Russen, door een van de stafle-
den van het pantserleger vergeleken met een aardverschuiving.
Op de zuidflank zette Manstein al zijn tanks in, inclusief de honderd Tigers en tweehonderd Panthers, die inderdaad verreweg
superieur bleken te zijn aan de Russische tanks. Ze waren echter
niet volledig getest, en een kwart ervan viel al uit voordat ze zelfs
in actie konden komen, en een paar andere schoten in brand vanwege een defectief pompsysteem. Vijfentwintig tanks liepen stuk
op een nog niet geruimd mijnenveld, omdat de sappeurs moesten opereren onder vuur van de artillerie. De aanval op rechts,
richting Prochorovka, ging sneller, omdat de Russen bang waren
voor de Tigers en de Panthers, die bij een aanval van voren onkwetsbaar waren en vanaf een kleine twee kilometer met een ho-
gesnelheidskanon een T-34 tank konden uitschakelen. Op 6 juli
kreeg Nikolai Fjodorovitsj Vatoetin van de legergroep bij Voronezj
strategische reserves; hij werd verondersteld de tegenaanval in te

zetten en had (rond 20 juli) negenentwintighonderdvierentwintig tanks, maar gaf de meeste tankcommandanten opdracht zich in te graven. Op 8 juli nam één enkele Tiger – in reparatie maar bruikbaar – het zelfs tijdens een massale aanval van Russische tanks op een logistiek centrum op tegen vijftig tanks en schoot tweeëntwintig T-34's kapot, terwijl de andere vluchtten. Prochorovka werd beroemd als de plaats waar op 12 juli een enorme tankslag plaatsvond, maar dit was slimme propaganda bedacht door een Russische generaal om zijn eigen wandaden te verdoezelen. De Duitsers verloren in deze strijd namelijk slechts drie dozijn tanks, terwijl het Rode Leger er zeer onhandig ongeveer duizend in de strijd gooide, die vervolgens vanaf de kwetsbare zijde vanuit een Duitse hinderlaag werden beschoten, waarna ze in een antitankgreppel vielen die ze over het hoofd hadden gezien. Deze feiten werden pas in 1990 onthuld, bijna vijftig jaar na dato. Hitler maakte feitelijk een einde aan de Slag om Koersk, deels doordat de vliegtuigen naar het zuiden werden gedirigeerd, en meer in het bijzonder omdat de geallieerden op 10 juli op Sicilië waren geland. Manstein protesteerde dat hij door moest gaan, dat de Russen achttienhonderd tanks verloren hadden en dat hij zijn reserves niet had gebruikt. Hij bereidde daadwerkelijk een kleinere operatie voor, maar die werd op 16 juli door Hitler een halt toegeroepen. De Russische verliezen bij Koersk waren enorm: driehonderdnegentienduizend manschappen (tegen vijfenvijftigduizend Duitse), tweeduizend tanks (tegen tweehonderdvijftig) en tweeduizend vliegtuigen (tegen honderdnegenenvijftig). Maar, zoals Manstein zei, het Rode Leger was een hydra, voor elke kop die eraf werd gehakt, groeiden er twee nieuwe aan. Er volgden harde tegenaanvallen op Koersk. Van 12 juli tot 18 augustus werd Models leger bij Orjol beschoten, vervolgens van 3 tot 13 augustus dat van Manstein bij Belgorod op de zuidflank. Daarnaast waren er aanvallen vanuit het oosten (de rivier de Volchov) om Leningrad en Tver (Kalinin) te bevrijden, waar de Duitsers nog steeds Moskou bedreigden. Mansteins commandanten hadden nu de beschikking over tweehonderdveertig tanks; de achthonderd vliegtuigen van het Vierde Luchtkorps moesten heel het zuidelijke front dekken, dat ver uitstulpte naar het oosten; en het hele oostfront stond in brand. Op 23 augustus werd Charkov opnieuw verloren, nu voorgoed, en lag het grotendeels in puin. Opnieuw leden de Russen enorme verliezen: acht tegen één. Het Rode Leger was teleurgesteld, omdat Stalin gehoopt had eind 1943 Oost-Pruisen te bereiken maar daar niet in was geslaagd.

Na de Slag om Koersk trokken de Duitsers zich simpelweg terug. Ze waren niet in staat het initiatief te nemen, behalve voor korte tijd, en zo hier en daar. Daarnaast ploeterden ze voort zonder brandstof, met paard-en-wagen, terwijl de Russen zich nu verplaatsten in Amerikaanse voertuigen en de beschikking hadden over Amerikaanse voorraden in blik: ze waren mobiel, al was het hartje winter. Hitler moest zijn krachten verleggen naar de diverse strijdtonelen rond de Middellandse Zee, en wilde zich ook weer richten op Frankrijk, zodat de oostelijke legers vatbaar waren voor aanvallen van de Russen. Bovendien was langs de hele linie de situatie ongelooflijk moeilijk. Na de Slag om Koersk liep die ruwweg langs de rivier de Dnjepr naar het oosten, en Mansteins hoofdkwartier bevond zich bij Zaporizja, in het oostelijkste punt van de bocht. Het front breidde zich opnieuw uit naar het oosten, naar de rivier de Mius, die de Donets verbond met de Zee van Azov en zo de Krim beschermde. Legergroep A slaagde er maar ternauwernood in via het schiereiland Kertsj en Rostov te ontsnappen. Manstein had zich liever teruggetrokken en vervolgens een tegenaanval gedaan, maar Hitler wilde de mineralen in het Donetsbekken behouden, dus de spanning steeg. De andere legergroepen waren beter geconcentreerd, maar het probleem was vergelijkbaar: te zwakke troepen, schaarse communicatiemiddelen, kwetsbaarheid van het transport.

De Duitse troepen aan de rand van de Kaukasus waren in augustus te zwak om een aanval van de Russen af te slaan. Ze moesten zich helemaal via het Donetsbekken laten terugzakken tot de Dnjepr, en verloren zo in elk geval de industriële hulpbronnen en de helft van de landbouwgrond waarvoor Duitsland Rusland binnen was getrokken. Begin oktober achtten de Duitsers het niet meer mogelijk de linie bij de Dnjepr nog te behouden, omdat het aantal Russische bruggenhoofden groeide en de belangrijkste steden vielen: Zaporizja als eerste, gevolgd door Dnjepropetrovsk. De Sovjets braken uiteindelijk begin november door hun bruggenhoofden aan beide zijden van Kiev heen en namen de stad in. De opmars van de Russen ging verder langs de spoorlijn, tot aan de Pools-Russische grens van 1939, die op 3 januari 1944 werd bereikt. De Duitsers veronderstelden dat het Rode Leger zou worden opgehouden door eerst de dikke sneeuw en vervolgens de modder, maar deze keer bleven de Russen maar komen. De Duitse divisies slaagden er maar nauwelijks in een ramp te vermijden, en het campagneseizoen 1943-44 bracht de Russen achthonderd kilometer verder. Op 10 april 1944 heroverde het Rode Leger Odessa en ruim een maand later Sebastopol. Het verlies op 25 september van Brjansk, en nog belangrijker Smolensk, kostte de Duitsers de hoeksteen van hun verdediging. In januari van het daaropvolgende jaar vielen de legergroepen bij de Volchov en de Baltische staten volkomen verrassend Leningrad aan, en drongen de Duitsers terug tot Novgorod en de grens met Estland. De weg lag nu open voor de ineenstorting van Duitsland.

Hoofdstuk 8

West en oost

Achteraf gezien kunnen we zeggen dat de invasie in Normandië eigenlijk al in 1943 had moeten plaatsvinden

D-day, Normandië; 6 juni 1944.

Toen de Duitsers zich terugtrokken uit de Kaukasus en de olie niet langer dreigde te worden overgenomen, hetzij daar of in Iran, werd Stalin veel belangrijker. Rusland was op een bepaalde manier terug op zijn positie van voor de Krimoorlog: opnieuw een grootmacht met een bedreigende ideologie. Dit allemaal door toedoen van Hitler: de enorme crisis van 1941 en 1942 was zo'n schok geweest voor het systeem, dat de Sovjetunie uiteindelijk gedwongen werd tot een doelmatiger organisatie: stoppen met hun verkeerde aanpak van de economie, en op de juiste manier de juiste mannen bevorderen die het leger moesten leiden. Hoe dan ook, Moskou deed weer mee. Om dat te benadrukken, verwaardigde Stalin zich vanuit Moskou naar Teheran te reizen, voorzichtigheidshalve niet verder, in een Iran dat op dat moment bezet werd door de Britten en de Russen. Daar vond november 1943 de beslissende conferentie van de geallieerden plaats, terwijl het Rode Leger Kiev heroverde en de vroegere grens naderde. In Teheran werd de Russische heerschappij over Oost-Europa impliciet erkend, een afspraak die werd gemaakt over Churchills hoofd heen. Hij stormde op een gegeven moment zelfs tijdens een diner naar buiten, uit protest tegen een opmerking van Stalin over wat voor moorddadigheden hij allemaal in Duitsland van plan was. 'Grapje,' zei Stalin.

De band tussen Churchill en Roosevelt werd steeds slechter. Omwille van de publieke opinie in oorlogstijd moesten de twee net doen of ze goed met elkaar overweg konden. Beide mannen konden goed acteren, en ze waren het als aristocraten uit de Atlantische wereld natuurlijk over een aantal zaken eens. Churchill kon heel goed doen alsof, en zelfs als mensen zich zeer aan hem ergerden, kon hij hen ontwapenen. Toen hij in het voorjaar van 1944 zag dat de macht van de Britten op zijn retour was, werd hij depressief en legde hij zijn hoofd in zijn handen. Zijn vrouw Clementine zei tegen hem: 'Kop op, bedenk eens hoe Mussolini zich nu voelt.' Het antwoord van Churchill was: 'Die kon in elk geval nog zijn schoonzoon laten doodschieten.' (Mussolini liet in januari van dat jaar Galeazzo Ciano in Verona berechten wegens hoogverraad.) Roosevelt kon een en al charme zijn en intussen bedenken wat zijn volgende stap moest zijn. Er ontstonden spanningen tussen de twee mannen. Zouden de Britten (en de Fransen), nu ze de oorlog gingen winnen, hun rijk herstellen? Zoals bijna alle Amerikanen vond Roosevelt al die wereldrijken maar niets, en hij wilde zeker niet betalen om ze in stand te houden. Er werd eindeloos gemarchandeerd over de voorwaarden van de Lend-Lease Act (Leen- en Pachtwet), om ervoor te zorgen dat de Britten ermee ophielden de hulp te gebruiken voor de bevordering van hun eigen export. (Churchills protest: 'Wereldrijken marchanderen niet'; het antwoord van zijn collega: 'Republieken wel.')

In juli 1944 vond er een belangrijke conferentie plaats in Bretton Woods in New Hampshire, om de structuur te bepalen van de internationale financiële verhoudingen en de wereldhandel na de oorlog. De Britten brachten daar hun sterspeler, John Maynard Keynes, in het spel. Zelfs de man die beschikte over zulke goede retorische vaardigheden dat hij een staande ovatie kreeg toen hij vermoeid het veld moest verlaten, slaagde er niet in de Amerikanen te overreden genereus in de buidel te tasten. Pas in 1947 hadden de Britten door hoe ze met dit soort problemen moesten omgaan: dreigden de Amerikanen hen met de ineenstorting van hun rijk, dan gebeurde dat inderdaad. Rond de jaarwisseling 1943-44 was de militaire invloed van de Amerikanen in Europa bijna even groot als die van de Britten, en die zou snel nog groter worden. Bovendien waren er ernstige meningsverschillen over de strategie. De Amerikanen wilden dat de oorlog zo snel mogelijk voorbij was en waren bereid tot een grootscheepse invasie van Frankrijk, terwijl veel Britten vreesden dat dit zou uitlopen op een ramp. Dat was absoluut geen dwaze gedachte. Er hadden tot dan toe slechts drie amfibische operaties plaatsgevonden die succesvol waren geweest: de evacuatie van Duinkerken, die in de verkeerde richting plaatsvond; Operatie Toorts, die goed afliep doordat het hier een zwakke tegenstander betrof; en de Slag om Madagaskar in mei 1942, met als doel het koloniale Vichyregime te laten stoppen met hun hulp aan de Japanners. Precies op het moment van de Conferentie van Teheran had het Rode Leger slechte ervaringen met amfibische landingen op de Krim, waar tanks ver van de geplande plek aan land kwamen, de artillerie en infanterie niet samenwerkten en de luchtmacht ineffectief was. De Britten wilden het liefst doorgaan met de bombardementscampagne, en hadden grote ambities wat betreft het Middellandse Zeegebied. De Anglo-Amerikaanse besprekingen waren inmiddels gespannen geworden, en door de hooghartige houding van Montgomery werd de zaak er niet beter op. (Churchill zei over hem: 'Na een nederlaag: onverzettelijk; tijdens de opmars: onoverwinnelijk; na een overwinning: onuitstaanbaar.')

Churchill bleef zoeken naar alternatieven voor de amfibische invasie, en hij liet zich overhalen mee te doen in het Middellandse Zeegebied. Italië is echter een land dat je vanuit het noorden moet aanvallen. De geallieerden deden het vanuit het zuiden, in een natte en koude herfst. Ze liepen op tegen de 'Gotische Linie', een zestien kilometer diepe reeks fortificaties langs de Apennijnen met de gebruikelijke betonnen vuurposten, antitankgreppels, mijnenvelden en honderdduizenden meters prikkeldraad. Churchill stelde (samen met de Amerikaanse commandanten ter plaatse) met enige nadruk dat de campagne in Italië moest worden doorgezet, maar dat betekende voor meer dan een miljoen manschappen een enorm en eindeloos gesjouw, en een verplichting tot de levering van bommenwerpers (waarmee nogal wat Italiaanse monumenten met de grond gelijk werden gemaakt). Misschien, dacht Churchill, werd het allemaal veel gemakkelijker als de strijd werd uitgebreid naar de Balkan. Er zat een Duitse legergroep in Griekenland, en nog één in Joegoslavië. Zouden de Turken ook mee gaan doen aan de oorlog, dan zouden ze samen met de Britten deze troepen kunnen afsnijden. Op de kaart zag het er aannemelijk uit, en na zijn vertrek uit Teheran had Churchill een ontmoeting met de Turkse leider, İsmet İnönü. Merkwaardig genoeg vertelde een latere en veel vindingrijkere Turkse leider, Turgut Özal, dat İnönü's grootste fout was dat hij niet mee had gedaan. Hij had een belangrijk akkoord met de Britten en de Grieken kunnen sluiten, en de eilanden in de Egeïsche Zee kunnen veroveren op Italië. Een zwak punt van İnönü was echter zijn verlammende voorzichtigheid, en misschien had hij uiteindelijk wel gelijk: was de Turkse inmenging verkeerd uitgepakt, dan zou het land zijn 'gered' door de Sovjet-Unie en een deel van zijn grondgebied en zijn soevereiniteit zijn kwijtgeraakt, ook de heerschappij over Istanbul. Om te laten zien waar hij toe in staat was, moedigde Churchill hen aan de grote, pittoreske eilanden voor de Turkse kust te bezetten, met Rhodos als hoofdprijs. Het werd een fiasco: de overgave van Italië werd slecht afgehandeld, er was geen controle in de lucht, de amfibische operaties liepen verkeerd en Rhodos werd nooit bereikt. De Duitsers bezetten opnieuw Kos en Leros, twee van de grotere eilanden, en namen duizenden Britse soldaten gevangen. Het was hun laatste grote overwinning die ze – vreselijk – gebruikten om de Joden van Rhodos bijeen te drijven. (Een aantal van hen werd toen het erop aankwam gered door de Turken.) De Amerikanen vonden het niet erg dat het een fiasco werd, omdat velen van hen zich stoorden aan Churchills onwil om na te denken over een invasie via het Kanaal. Vervolgens bedachten ze zelf een eigenwijs plan. Ze haalden zeven divisies uit Italië weg die, als het zover was, een invasie van Zuid-Frankrijk moesten starten. Dat had totaal geen zin, en de Britten in Italië konden klagen dat ze te zwak waren om te doen wat van hen gevraagd werd. De controverse hierover duurt maar voort.

In Teheran was al impliciet erkend dat Oost-Europa communistisch zou worden. Dat kwam niet alleen door het Rode Leger, maar ook door de verzetsbewegingen, die in de meeste landen – hoewel niet in Polen – zwaar onder invloed stonden van de communisten. Het verzet in ongeacht welk modern, ontwikkeld land dan ook – zoals vanzelfsprekend Frankrijk en de Tsjechische gebieden – kon hoe dan ook het best worden gecontinueerd in de vorm van sabotage, omdat het lukraak doden van zomaar een willekeurige Duitser uitnodigde tot gruwelijke vergelding. De communisten steunden deze aanpak, omdat de lokale bevolking de Duitsers hierdoor nog meer haatte en zich dus steeds vaker aansloot bij de communisten. Die aanpak was echter alleen echt goed mogelijk in landen als Griekenland of Joegoslavië, waar de partizanen, die bevoorraad werden vanuit de lucht, erin slaagden het uit te houden in de kale bergen. Tegen 1943 was het aantal verzetsbewegingen sterk toegenomen en probeerden collaborateurs zo goed en zo kwaad als dat ging weg te komen, waaronder veel prominente overlopers van de Franse Vichyregering. De communisten hadden nu hele gebieden onder controle en waren in Noord-Italië zelfs van plan de boel over te nemen als de Duitsers vertrokken. Men kwam in Teheran overeen dat Polen op zou schuiven naar het westen en ruwweg de gebieden zou verliezen die met het Molotov-Ribbentroppact aan de USSR waren gegeven, en in het westen gecompenseerd zou worden met industrierijke Duitse gebieden. Uiteindelijk zouden er vijf miljoen Polen van oost naar west worden gedeporteerd. Vanaf dat moment werd het steeds duidelijker dat Rusland zijn invloed naar andere landen zou uitbreiden. Churchill ging daar stilzwijgend mee akkoord, en ging in oktober 1944 naar Moskou om de deal te sluiten.

De Britten wilden hoe dan ook Griekenland als hun sleutelpositie in het oostelijke Middellandse Zeegebied, vanwege het Suezkanaal en de olie die in de toekomst uit het Midden-Oosten

kon worden gehaald. Stalin stemde erin toe de Griekse communisten in te tomen. Toen die aan het einde van de oorlog een poging deden de macht te grijpen, werden ze afgeslacht. Stalin deed
niets om hen te helpen. De andere kant van het verhaal was dat
Churchill de rest van de regio afschreef, behalve Joegoslavië. Daar
ging hij akkoord met een fiftyfifty verdeling van de invloed. Vervolgens kregen de communistische partizanen van Tito enorm veel
hulp van de Britten. De agenten van de Special Operations Execu-
tive (SOE) hadden het avontuur van hun leven in de spleten, holen en grotten in Dalmatië. (Romanschrijver Evelyn Waugh, een
katholiek, was daar voor de militaire inlichtingendienst en werd
vervuld met afkeer door de valsheid en wreedheid die hij daar
ontmoette. Hij beschreef die in *Sword of Honour*, zijn beroemde
trilogie over die periode. Waugh maakte zich geen illusies over de
samenwerking van een deel van het Britse establishment met de
Joegoslavische communisten. Twee keer wierp die vruchten af:
de eerste keer in 1948, toen Stalin brak met Tito; en nog eens in
1991, bij het definitieve uiteenvallen van Joegoslavië, waarbij het
ministerie van Buitenlandse Zaken stiekem steun gaf aan de Serviërs.) De Anglo-Amerikanen profiteerden echter nog meer, doordat Stalin de communisten in het Franse en het Italiaanse verzet
vertelde dat ze niet de macht mochten grijpen als de bevrijding
daar was, niet in Parijs en ook niet in Milaan. Dat hadden ze makkelijk kunnen doen. In plaats daarvan sloot hij een deal met de
Franse leider, generaal Charles De Gaulle, die hij eerder erkende
dan de Amerikanen (zij verafschuwden hem). De afspraak was
dat president De Gaulle op den duur het Anglo-Amerikaanse financiële en militaire systeem zou verzwakken. In 1968 was er een
opstand tegen hem in Parijs en hadden de communisten hem ten
val kunnen brengen. Moskou vertelde hun echter opnieuw dat ze
dat niet mochten doen, omdat De Gaulle veel meer voor hen kon
betekenen dan ooit een communistisch regime. Zulke afspraken

werden gemaakt tijdens de theepauzes in Teheran. De Britten deden toen nog één concessie, één die op dat moment amper een reden gaf tot aanmerkingen. Honderdduizenden Russische en Joegoslavische burgers hadden zich vrijwillig bij het Duitse leger gemeld, soms om aan de hongerdood te ontkomen. Aan het einde van de oorlog werden ze door de Britten uitgeleverd aan Stalin en Tito, die hen voor jaren achter de tralies zetten of lieten executeren. Dertig jaar later vertelde Aleksandr Solzjenitsyn de wereld wat er was gebeurd. De Amerikanen stelden zich wat dit betreft wel humaan op: ze spraken af de gevangenen terug te geven, in de praktijk lieten ze hen echter ontkomen.

Vanaf dat moment werd de oorlog steeds meer gevoerd vanuit Washington. Dat kwam door de schokkende verandering in de Amerikaanse oorlogseconomie. De benadering van de 'New Deal' werkte, en zou dat ook doen in de jaren van het Marshallplan in het naoorlogse Europa: die van een bedrijvige manager met een kort lontje, die geen excuses accepteerde. In 1943 werd de machtige auto-industrie omgebouwd voor de productie van vliegtuigen, waarna er in 1944 dertig keer zoveel vliegtuigen werden geproduceerd als in 1939. In totaal werden er vijftigduizend bommenwerpers en zestigduizend jachtvliegtuigen geproduceerd, tegen veertigduizend door de Duitsers in totaal. De Amerikanen voerden echter spectaculaire kwaliteitsverbeteringen door: een jachtvliegtuig met een actieradius van Londen naar Berlijn en weer terug, en een B-29 bommenwerper met een zeer verfijnde navigatie, hoge snelheid en zware bommenlast. Zo'n honderd scheepswerven werden door derden onderworpen aan massaproductiemethoden. Tussen 1930 en 1936 produceerden Amerikaanse werven in totaal zeventig schepen, na 1942 waren dat er zesduizend (in 1944 twintig keer zoveel als in 1940). Dat waren lelijke Liberty's met een korte levensduur (en het prototype was Brits), maar ze deden wat ze moesten doen. De resultaten werden zichtbaar op de beide fronten in de wereld waar de Amerikanen actief waren: vliegdekschepen, geavanceerde bommenwerpers, en uiteindelijk ook de atoombom.

Toen de Amerikanen er eenmaal in waren geslaagd een goede basis in te richten om hel en verdoemenis te kunnen zaaien, wachtte Japan een bijbels lot. Langzaam kropen ze ernaartoe. Op 15 juni 1944 werd met vijfhonderdvijfendertig schepen begonnen aan de landing van honderdachtentwintigduizend Amerikaanse manschappen en marinepersoneel op het eiland Saipan, in de verwachting daar start- en landingsbanen te kunnen aanleggen voor de B-29 bommenwerpers, die van daaruit naar Tokio zouden vliegen. Dat duurde negentig dagen, waarna de Amerikanen de beschikking hadden over vijftien vliegdekschepen, duizend vliegtuigen, zeven slagschepen, zeventig torpedobootjagers en nog een boel andere schepen, tegen bijna de gehele resterende Japanse vloot, negen vliegdekschepen en vijfhonderd vliegtuigen. Deze vloot was bijna al zijn onderzeeboten kwijt, omdat de Amerikaanse torpedobootjagers over veel betere informatie beschikten en daarvan profiteerden. Op vergelijkbare wijze werden de Japanse vliegtuigen op het land uitgeschakeld. Het grootste deel van het Japanse leger werd helemaal niet ingezet tegen de Amerikanen, maar werd verspreid over de enorme oppervlakte van China, en raakte daarbij verwikkeld in een groot en succesvol, maar uiteindelijk zinloos offensief waarmee China uit de oorlog moest worden gegooid. Intussen slaagden de Britten er eindelijk in een deel van het Japanse leger op de grens van Brits-Indië te verslaan. In het andere, niet goed gecoördineerde deel van de Amerikaanse opmars, veegde MacArthur Nieuw-Guinea schoon en landde hij in Indonesië. Spoedig daarop landde hij op Leyte, waarna hij – zoals hij ooit had beloofd – terugkeerde naar de Filipijnen, waar een overvloed aan bewijs aan het licht kwam van de vreselijke manier waarop de inheemse bevolking en de krijgsgevangenen door de Japanners werden behandeld. Toen Amerikaanse bommenwerpers erin slaagden het Japanse vasteland naar believen plat te gooien, lag de weg open naar een spectaculair maar bitter einde.

In dezelfde veertien dagen waarin de invasie op Saipan plaatsvond, viel ook een enorme troepenmacht Frankrijk aan. De geallieerden hadden de tijd genomen en zich uitermate nauwgezet voorbereid, zonder een greintje ouderwetse Britse nonchalance. Een van de tientallen Luftwaffe-piloten – later een succesvol industrieel – beschreef hoe hij in de vroege uren van 6 juni met zijn machine opsteeg voor een patrouillevlucht en de invasievloot zag aankomen, gevolgd door een enorme zwerm vliegtuigen die luchtdekking zouden bieden: zevenduizend schepen met honderdzestigduizend manschappen en duizenden vliegtuigen boven hen. Op dat moment wist hij dat de oorlog verloren was, maar toch schoot hij – gebruikmakend van de dekking van de bewolking – zes vliegtuigen uit de lucht voordat hij zelf moest landen omdat zijn brandstof op was. Op soortgelijke wijze slaagden de eens zo formidabele U-boten erin slechts één schip tot zinken te brengen, een Noorse torpedobootjager. De hele operatie werd geleid door een slimme, geniale Amerikaan: Dwight D. Eisenhower (de naam is Duits van oorsprong en betekent 'ijzerwerker'). Er waren aan beide zijden van het bondgenootschap natuurlijk diepe sporen van wrok tussen de Britten en de Amerikanen, maar Ike surfte daar handig omheen. En de Britten wilden overduidelijk niet vechten voor onbelangrijke prestigesymbolen, zoals dat vaker het geval is bij zwakkere bondgenoten. Alles bij elkaar geloofden ze niet in de invasie, maar ze gingen wel door. De Amerikanen bleken helemaal gelijk te hebben, want de invasie was buitengewoon succesvol.

Achteraf gezien kunnen we zeggen dat de invasie in Normandië eigenlijk al in 1943 had moeten plaatsvinden. De aanvankelijke plannen werden echter ingeperkt door een gebrek aan landingsvaartuigen, en ook door de eisen die aan het bombardementsoffensief werden gesteld. In 1944 besloten de strategen af te zien van een aanval op een duidelijk goed verdedigde zeehaven, en de korte operationele actieradius van de gevechtsvliegtuigen beperkte het aantal potentiële landingsplekken feitelijk tot twee: Calais en de kust van Normandië, omdat daar een haven was – Cherbourg – die vanaf opzij kon worden ingenomen. Het werd Normandië, en deze plek werd zorgvuldig bestudeerd. In augustus 1943 vond de Conferentie van Quebec plaats en werd het plan goedgekeurd door Roosevelt, Churchill en de Canadese premier Mackenzie King. Het bijeenbrengen van de landingsvaartuigen betekende een uitstel tot juni. Daarnaast moest de invasiemacht een miljoen manschappen tellen. De troepen verzamelden zich in Zuid-Engeland. De voorbereiding was zeer gedegen; zelfs het soort zand aan de kust werd onderzocht, waarna besloten werd dat de tanks in de veenachtige gebieden over speciale matten het land op zouden rollen. Er waren twee kunstmatige havens op de stranden van Normandië om lading te kunnen lossen. Die zouden in delen vanuit Engeland naar de Normandische kust worden gesleept en daar in elkaar worden gezet. Er zou een oliepijplijn worden aangelegd onder het Kanaal. De Duitsers werden wat de richting van de aanval betreft compleet om de tuin geleid, en elke Duitse spion werd ontmaskerd en gebruikt om de boel te misleiden. Een week lang dachten de Duitsers dat de invasie in Normandië een afleidingsmanoeuvre was, dat de echte aanval vanuit Calais zou komen. De manier waarop Rommel de verdediging organiseerde, was een enorme klus: er werden op hoogwaterniveau hindernissen geplaatst van stalen balken, stevige bunkers neergezet en een rij houten palen met boobytraps neergezet tegen de vliegtuigen; laag liggende delen waren onder water gezet. Overal lag prikkeldraad. Er lagen vier divisies in het gebied, en er waren natuurlijk pantserdivisies in reserve, maar er zat er slechts één in de regio Normandië, die de eerste dag kon ingrijpen. Voorkomen dat de Duitsers hun reservetroepen konden verplaatsen, was essentieel, omdat die veel sneller over land konden reizen dan de geallieerden over zee (voor één enkele divisie waren veertig standaard koopvaardijschepen nodig). Dat betekende dat de oostflank van de invasie in de gaten moest worden gehouden, bij de rivier de Orne, die door Calvados en de stad Caen stroomde. Verder zouden de Britten parachutisten droppen om de bruggen veilig te stellen en te voorkomen dat de Duitse pantservoertuigen erover zouden trekken, terwijl de vijf aangewezen stranden werden aangevallen vanuit zee.

De verrassing was compleet. Alles hing af van de maan, het tij en het weer, er kon slechts een paar dagen per maand een invasie plaatsvinden. De geplande dag – 5 juni – was het heel slecht weer en de Duitsers zelf rustten uit; Rommel was naar een verjaardagsfeestje. Vervolgens concludeerde een slimme meteoroloog dat de enorme operatie op 6 juni van start kon gaan: 'D-Day'. (De 'D' staat gewoon voor 'dag', d.w.z. de niet nader gespecificeerde dag in de toekomst dat de geplande aanval zou beginnen.) Het merendeel van de hieraan voorafgaande luchtlandingen slaagde, omdat ze deskundig waren voorbereid met modellen van de landingsplaatsen. Het hielp enorm dat er op de grond kon worden samengewerkt met het Franse verzet. De eerste landingen waren ook een succes, hoewel de Amerikanen het zwaar hadden op een van hun stranden, Omaha Beach. Ze leden daar grote verliezen toen ze vanuit de duinen werden beschoten, maar uiteindelijk slaagden kleine groepen infanterie erin om door de verdediging heen te breken. Hoewel ze Caen – hun directe doel – niet veroverden, hadden de Britten nog een paar problemen. Toen het bruggenhoofd op het strand eenmaal was geslagen, konden de kunstmatige havens in gebruik worden genomen. Zelfs toen een daarvan tijdens de zware storm van 19 juni werd vernietigd, werd er negenduizend ton goederen per dag naar het vasteland vervoerd. (Stel je voor wat er gebeurd zou kunnen zijn als er op 6 juni zo'n storm had gewoed.) Er vielen minder doden en gewonden dan verwacht (tienduizend, terwijl Churchill twee keer zoveel had gevreesd) en de bruggenhoofden hielden stand – wellicht niet verrassend, gezien het feit dat de geallieerden tien keer zo sterk waren in de lucht en het spoor gesaboteerd werd door de *maquisards* (het Franse verzet). De Duitse reservisten ter plaatse ontmoetten taai verzet; andere reservedivisies zaten te ver weg, nog steeds tegengehouden door de illusie dat de grote aanval plaats zou vinden bij Calais. In elk geval kwamen ze niet verder dan wat bewegingen 's nachts, per fiets.

Toen de geallieerden het binnenland in trokken, zagen ze zich voor een enorme klus gesteld. De Amerikanen trokken naar het noordwesten en veroverden op 18 juni de haven van Cherbourg, die wel diep was maar in een waardeloze toestand verkeerde. De Britten moesten (samen met de Canadezen, de Polen en anderen) het binnenland in over zeer moeilijk begaanbaar terrein, de *bocage*, vol struikgewas, heggen en smalle wegen, ideaal voor de verdediging. Montgomery kreeg als commandant van de voornamelijk uit Britten (en Polen en Canadezen) bestaande 21e Legergroep de algehele leiding van de invasie, tot de Amerikanen in staat waren hun eigen legergroep te organiseren, de 12e Legergroep onder het bevel van Bradley. Door de zware storm tussen 17 en 22 juni was Montgomery niet in staat gebruik te maken van de aanvankelijke Duitse zwakte, waardoor de Duitsers er uiteindelijk in slaagden een grote troepenmacht op te bouwen rond Caen. De stad werd voortdurend aangevallen, maar viel pas eind juli. Er bleef niet veel meer van over dan een ruïne. De kern van Montgomery's strategie was, dat hij een zo groot mogelijk deel van het Duitse leger hier, aan de oostkant, klem wilde zetten,

zodat de Amerikanen – die de met minder manschappen verdedigde westkant schoonveegden – uiteindelijk een omtrekkende
beweging konden maken om de Duitsers in te sluiten. Dat kostte
tijd, maar het lukte Montgomery uiteindelijk wel: zeven pantserdivisies vochten tegen hem, twee slechts tegen de Amerikanen.
Eind juli trokken de Amerikanen om de Duitse westflank heen en
bevrijdden Bretagne. De Duitse troepen werden ten zuiden van
Caen omsingeld, en de generaals wilden zich terugtrekken naar
de Seine. Eisenhower was nu opperbevelhebber in het veld en
kweet zich met grote deskundigheid van zijn taak, vooral in verband met de onberekenbare Montgomery.

Hitler wilde per se een grote tegenaanval. Hij kon nauwelijks
nog rationeel denken. Op 20 juli probeerde een hooggeplaatste
officier hem te vermoorden, in een stafbarak op het hoofdkwartier in Rastenburg. Dat mislukte, maar Hitler was geschokt en
kwam er nooit helemaal overheen, hij hield er bevende armen
aan over. Zijn arts schreef hem pillen voor die winderigheid veroorzaakten. Generaals die bij hem kwamen voor overleg, moesten voortaan langs een beveiligingsapparaat, ze mochten niets in
hun zakken hebben en moesten hun revolver in een bak leggen.
Doordat ze in staat waren de codes te kraken, wisten de geallie-
eerden welke orders Hitler had gegeven voor de operatie in Normandië. De geallieerden waren nu heer en meester in de lucht,
en de Duitse tegenaanval mislukte. De volgende stap was dat de
geallieerden konden proberen grote groepen Duitsers in de val
te lokken. Generaal George Patton mocht dat uitvoeren: hij trok
zonder noemenswaardige tegenstand eerst naar het oosten en
vervolgens naar het noorden, naar Alençon. De Duitsers zaten in
een pocket. Ze vochten en slaagden erin een route open te houden naar Falaise (de geboorteplaats van Willem de Veroveraar,
die in 1066 een invasie begon in de tegenovergestelde richting),
waarlangs nog een aantal divisies wist te ontkomen, maar ver-

loren op 21 augustus vijftigduizend soldaten die krijgsgevangen werden gemaakt. Het was de beslissende slag, en drie dagen later, op 24 augustus, werd Parijs bevrijd. Daarna vond nog – volkomen overbodig – een geallieerde invasie van Zuid-Frankrijk plaats, die nauwelijks tegenstand ontmoette, en in september stonden er zeven veldlegers, inclusief de Fransen, min of meer voor de Duitse grens. Ze werden goed uitgerust en hadden sinds de uitbraak in juli een groot overwicht aan manschappen en tanks gehad: vier tegen één. De overmacht wat vliegtuigen betrof, was verpletterend. Wat nu? Aan geallieerde zijde waren er tweehonderdveertigduizend slachtoffers, waarvan zesendertigduizend doden, en er waren vierduizend tanks kapotgeschoten. De Duitsers verloren in Frankrijk echter driehonderdduizend man soldaten. Twee derde daarvan werd krijgsgevangen gemaakt, en van de tweeduizend tanks kwamen er maar honderdtwintig terug over de Seine. De Luftwaffe was niet langer in staat om enige invloed uit te oefenen, omdat Duitsland het jaar daarvoor slechts een zesde van het aantal vliegtuigen had geproduceerd dat bij de geallieerden van de band was gerold.

Er bevond zich nog steeds een groot aantal geallieerde troepen in Italië, en Churchill wilde die op een productievere manier inzetten. Misschien konden ze voorkomen dat de Russen Centraal-Europa zouden binnentrekken en er in het algemeen voor zorgen dat de communistische dreiging beperkt bleef tot het Middellandse Zeegebied. De campagne verliep traag, met generaals die prima-donnagedrag vertoonden en een bevelhebber, Sir Harold Alexander, die overbeleefd was. Daarnaast waren er wat eigenaardigheden (de Duitsers hadden Kozakken en een Turkmeense divisie in dienst genomen). Eind augustus vielen de geallieerden de Gothische Linie aan, en half september kwamen de vlakten van Lombardije in zicht. Het regende toen echter en er waren aardverschuivingen en woest stromende rivieren. Het lukte nauwelijks om vooruit te komen. De Duitsers hergroepeerden zich koppig, er opereerden nog steeds troepen Italiaanse collaborateurs in de schaduw van het fascistische regime, dat door de Duitsers aan het Gardameer voor Mussolini in stand werd gehouden, en de partizanen dreigden het bestuur over te nemen van de geallieerden. Dit ging zo door tot april 1945, toen de Duitse commandanten tien dagen voor het einde van de oorlog onderhandelden over een separate overgave, en het lijk van Mussolini ondersteboven buiten een garage in Milaan werd opgehangen. (De beelden daarvan zijn beroemd.) De Italiaanse partizanen die hem vermoordden, waren communisten en zouden toen ongetwijfeld de macht hebben gegrepen, maar de instructies van Stalin aan hun leider – de knorrige Palmiro Togliatti – waren streng: werk samen met de westerse mogendheden en hun representanten. De Britten en de Russen trokken nu elk naar hun eigen deel van de Balkan, terwijl de Duitse Legergroep E zich terugtrok in de richting van Kroatië en Triëst.

De ineenstorting van het Duitse leger in het oosten was vergelijkbaar met die in het westen. Het Rode Leger beschikte nu over een enorme troepenmacht die het kon inzetten. Het plande in samenwerking met de westerse geallieerden een enorm offensief tegelijkertijd met de invasie in Normandië, en noemde dat 'Operatie Bagration', naar een Russische generaal uit het tijdperk van Napoleon. Op 23 juni viel het Rode Leger de Legergroep Midden aan, die zich in een kwetsbare positie bevond. De legergroep probeerde de landbrug tussen de rivieren ten westen van Smolensk te behouden, om een verbinding open te houden naar Legergroep Noord, die onder druk stond in de Baltische regio. De legergroep had zich op moeten delen om met tanks en vliegtuigen naar het westen te gaan, en om met vliegtuigen de Duitse steden te verdedigen. De Russen waren inmiddels bedreven in wat ze *maskirovka* noemden: het met een aantal trucs misleiden van de Duitsers wat betreft de omvang en de richting van hun aanvallen. Toen de Duitsers gedwongen werden Odessa te verlaten en Roemenië zelf onder dreiging kwam te liggen, bestond er in elk geval een serieuze dreiging tegen de Duitse linie in het zuiden. Eind augustus was de druk op Roemenië zo groot, dat de koning zich gedroeg zoals zijn Italiaanse collega een jaar eerder: hij liet de ambtgenoot van Mussolini, maarschalk Ion Antonescu, arresteren, waarna Roemenië een bondgenoot werd van de Russen. Hitler onderschatte het gevaar dat de Sovjettroepen vormden die tegenover de Legergroep Midden kwamen te staan. Die had een derde van zijn wapens en bijna al zijn tanks naar het zuiden gestuurd, waar de aanval werd verwacht. De pantserdivisies hadden het onder Manstein geweldig gedaan langs de grenzen van Roemenië, maar waren tijdens dit proces uiteraard weggetrokken uit het centrum. Er werden vier Russische legergroepen ingezet voor de operatie. Er vond eveneens een grote samentrekking van troepen plaats richting het zuiden, tegen de Duitse legergroep in de Noord-Oekraïne, waar Lwów, de grootste stad van Zuidoost-Polen, het doelwit was. De Russische partizanen bliezen delen van het spoor door de bossen op en vielen afgesneden Duitse eenheden aan. Vervolgens kwamen er één miljoen zevenhonderdduizend manschappen, vierentwintigduizend stuks geschut, vierduizend tanks en zesduizend vliegtuigen in actie, tegen achthonderdduizend manschappen, vijfennegentighonderd stuks geschut, vijfhonderd tanks en achthonderd vliegtuigen. Het enige voordeel van de Duitsers lag in de sterke defensieve linies die in de loop der tijd waren opgebouwd. Het hoofdoffensief begon op 23 juni met een vernietigend bombardement, waarmee de verdediging bijna werd gebroken. Aan de noordkant stak de Eerste Baltische Legergroep de Dvina over, en sloot op 25 juni bij Vitebsk een legerkorps van dertigduizend man in, waarna de stad twee dagen later viel. De 3e Wit-Russische Legergroep reed op de snelweg van Moskou naar Minsk bij Orsja dwars door een leger heen en bereikte de rivier de Berezina, waar Napoleons leger in 1812 zijn spectaculairste nederlaag onderging. Het werd ook een val voor twee Duitse legerkorpsen, omdat Russische troepen in de buurt van Mahiljov de Dnjepr overstaken richting het zuiden. Op 27 juni werden de twee Duitse legerkorpsen ingesloten in een pocket ten oosten van Bobroejsk en zwaar gebombardeerd. Hoewel een deel van het Negende Leger erin slaagde te ontkomen, werden zeventigduizend soldaten gedood of gevangengenomen. Vervolgens trokken de Russen door naar Minsk zelf, het toneel van hun grote ramp drie jaar eerder. Vanaf 28 juni stak de 3e Wit-Russische Legergroep de Berezina over, en in het zuiden voerde de 1e Wit-Russische Legergroep eveneens een tangbeweging uit. Op 4 juli troffen deze twee legers elkaar ten westen van Minsk, waar ze het gehele Duitse Vierde Leger omsingelden, dat daardoor in de val kwam te zitten. In misschien wel de grootste nederlaag ooit van het Duitse leger, werd de Legergroep Midden vernietigd: vijfentwintig divisies gingen verloren, in totaal zo'n driehonderdduizend man vonden de dood. In de daaropvolgende weken verloren de Duitsers nog eens honderdduizend man. Zo'n negentigduizend soldaten met tweeëntwintig generaals, inclusief vier korpscommandanten (een van hen had zijn eigen hoofdkwartier in de steek gelaten), werden door het centrum van Moskou gevoerd als een teken van Stalins triomf. Veel soldaten waren zo bang, dat ze de controle verloren over hun darmen, waarna de straten speciaal moesten worden gereinigd. Toch was er verrassend genoeg sprake van een Duits herstel.

De Duitsers hadden een opmerkelijke commandant, Walter Model. Hij nam na de nederlaag de Legergroep Midden over en verving Ernst Busch, een gedweeë jaknikker van Hitler. Model slaagde er op miraculeuze wijze in van overal en nergens een troepenmacht bij elkaar te schrapen, en herstelde de verbinding met Legergroep Noord, dat zichzelf voor problemen zag gesteld in de Baltische regio. Eind juli hield Riga in Letland nog stand, en in augustus slaagden de Duitsers er zelfs nog in een tegenaanval uit te voeren in de buurt van Vilna, dat op 8 juli was gevallen. Het was een treurig toevoegsel aan het hoofdstuk van twintig jaar Poolse heerschappij over deze beroemde historische stad, het spirituele centrum van de Joden in Oost-Europa, en ook van de katholieke barok. Jonge Polen kwamen in opstand om de stad in te nemen voordat de Russen er binnentrokken. Ze werden afgeslacht door de Duitsers en later door de Sovjets, werden begraven buiten het enorme kerkhof en kregen een kruis van roestig ijzeren spijlen op hun graf. Intussen ontstond er in het zuiden ook een aanval, en op 27 juli, na twee dagen van gevechten, viel Bialystok, eerder ook het toneel van een grote ramp. Tussen 18 juli en 2 augustus trok Konstantin Rokossovski verder naar Warschau, hij bereikte op 21 juli de rivier de Bug en nam op 2 augustus de bruggenhoofden aan de Wisla in.

In Warschau ontstond nu een opstand. Het Poolse verzet had tijd om de boel te organiseren, en de nazibezetters, die mee-dogenloos begonnen waren, waren lui geworden en letten niet goed op. In sommige wijken stonden ze zelfs sympathiek tegen-over de katholieke Polen. De opstand leek te slagen, in die zin dat het Duitse leger zijn tassen pakte en de Russen bijna in Praga waren, de buitenwijk van Warschau op de oostelijke oever van de rivier de Wisla. De hoofdstad innemen voordat de Russen er wa-ren, zou van grote symbolische betekenis zijn, net als De Gaulles inname van Parijs voordat de communisten er waren. De Duit-sers sloegen echter terug, waarbij ze gebruikmaakten van Oekra-iense en Baltische troepen die de Polen haatten. Ze braken de opstand door goed een derde van de stad plat te branden en hiel-den in Warschau tot januari 1945 stand. Met als argument dat ze over onvoldoende voorraden beschikten, deden de Russen niets.

En niet alleen dat, ze weigerden ook ervoor te zorgen dat Britse vliegtuigen de Polen konden bevoorraden. Feit was, dat Stalin best blij was dat de nazi's de Polen hadden verpletterd. (Dat had hij ook laten zien in 1940, toen hij zelfs bereid was om een handje te helpen en in Katyn en elders vijftienduizend Poolse officieren liet afslachten.) De Poolse regering in ballingschap in Londen was hier zelf ook schuldig aan, doordat zij de kracht van de Britten overschatte en weigerde in te stemmen met welke grensaanpassing dan ook. De Tsjechen daarentegen sloten een deal met Moskou, droegen een van de oostelijke provincies over en kregen in ruil daarvoor gedaan dat het Rode Leger zich terugtrok zodra Tsjecho-Slowakije weer autonoom was. Dat het land in 1948 communistisch werd, was niet zo duidelijk als in het geval van Polen, dat bezet werd en een marionettenregering had. Hoe het ook zij, de opstand in Warschau werd neergeslagen, en toen de stad werd bevrijd, bestond zij uit kilometerslange uitgebrande ruïnes en puin, en waren alleen nog de buitenlandse ambassades aan de Aleje Ujazdowskie en het door de Gestapo bezette Hotel Bristol intact. Enkele Poolse intellectuelen die deze puinhoop zagen, keken voor inspiratie naar de nieuwe barbaarse machthebbers in het oosten. Waarom waren de barbaarse Russen succesvoller dan de beschaafde Polen?

De Duitse bondgenoten deden niet meer mee. De jonge koning van Roemenië ontdeed zich van de fascisten, en er kwam een wapenstilstand, gevolgd door een Roemeense oorlogsverklaring aan Duitsland. Bulgarije, dat in een soortgelijke situatie verkeerde, was een tijdje met iedereen tegelijk in oorlog, maar sloot zich uiteindelijk aan bij de geallieerden. Een interessant geval was Finland (net als Tsjecho-Slowakije). De Finnen hadden steeds de relatie met Moskou in stand gehouden, waren zo verstandig geweest hun samenwerking met Duitsland beperkt te houden, en slaagden erin te overleven en neutraal te blijven. De Hongaren probeerden hetzelfde. Tevergeefs, omdat hun elite volledig op Groot-Brittannië georiënteerd was en geen enkele lijn had met Moskou. Toen hun regering uit de oorlog probeerde te stappen, werd ze door een coup van de SS ten val gebracht en kwam er in hun plaats een stel sadisten en gekken (de pijlkruisers) aan de macht. De Russen trokken nu op tegen het Reich zelf. De 3e Wit-Russische Legergroep (onder bevel van Ivan Tsjernjachovski) slaagde er in november in Oost-Pruisen binnen te vallen en nam wraak op een Duits dorpje (dat wat betreft de gruweldaden van de Russen het paradepaardje werd van de Duitse propaganda en de inspiratiebron werd voor het verzet in de oostelijke delen van Duitsland, dat veel taaier was dan in de westelijke delen). Ze hielden even halt, trokken toen op naar Koningsbergen en de Memel in de zuidoosthoek van de Baltische regio. Rokossovski was vastbesloten tijdens zijn opmars van Warschau naar Danzig heel Oost-Pruisen af te grendelen. Paniek maakte zich nu meester van het oostelijke deel van Duitsland.

Hoofdstuk 9

Het einde

Het irriteerde de geallieerden mateloos dat de Japanners, die Hitlers einde zagen naderen, dat niet begrepen en het niet opgaven

De bevelhebber van de geallieerde troepen in de Stille Oceaan, generaal Douglas MacArthur, ontvangt op 4 september 1945 op de USS Missouri de Japanse capitulatie.

Zowel Duitsland als Japan zaten nu heel erg klem: aan de ene kant werden ze bestookt met vernietigende luchtaanvallen, waardoor in december 1944 zo goed als alle energiebronnen en transportmiddelen waren vernietigd, en aan de andere kant kregen ze steeds meer legers en schepen met enorme slagkracht tegenover zich. Het zou gewoon verstandig zijn geweest als hun leiders de handdoek in de ring hadden gegooid. Beide landen waren echter in de greep van een hardnekkige illusie. Japan, nog nooit verslagen, was ervan overtuigd dat het gered zou worden door een wonder. De Duitsers vochten door omdat ze gek werden van de eindeloze bombardementen en maar al te goed wisten welk lot hun wachtte als de Russen de rivier de Elbe bereikten. Er was tot het definitieve einde van de oorlog een stel gestoorde loyalisten aan de macht: Hitler liet zelfs zijn zwager doodschieten omdat deze de moed opgaf, en toen Japan zich uiteindelijk overgaf, bleek het keizerlijke vocabulaire geen woorden te bevatten voor 'nederlaag' en 'overgave'. De keizer kon alleen maar zeggen dat de oorlog niet echt in het voordeel van Japan was geëindigd.

Duitsland was nog steeds in staat tot wanhopige acties en kreeg in de laatste drie maanden van 1944 enig respijt. Eén fabriek voor synthetische benzine was nog operationeel, die in Pommeren. In oktober 1944 bezetten de westerse geallieerden een linie min of meer langs de Rijn en schoven bij Aken en Straatsburg centimeter voor centimeter Duitsland in. In Nederland heerste de hongerwinter en het land bevond zich nog steeds onder Duits gezag, evenals Denemarken en Noorwegen. Centraal-Europa stond nog steeds onder fascistisch bewind, en in Zagreb, de hoofdstad van Kroatië – een stad waar je je Richard Wagners *Götterdämmerung* voorstelt als een komische opera van Franz Lehár – publiceerde de schrijver Josip Horvat zijn dagboek van die periode. Hij beschrijft de harteloze handelwijze van de Onafhankelijke Staat Kroatië, terwijl de levering van melk aan de Duitse gevolmachtigde (in 1918 de Oostenrijks-Hongaarse vertegenwoordiger bij de Vrede van Brest-Litovsk) afgesneden wordt door de partizanen, er een tekort is aan werkende elektrische scheerapparaten en de lucht vol is met ingenieuze vliegtuigen die op weg zijn om Boedapest, Wenen en München te bombarderen. Uitkijkend over het in puin geschoten München, dat hij gekend had in zijn en haar glorieuze dagen voor 1914, schreef de bejaarde Richard Strauss – wiens half-Joodse kleinzoons in semi-ballingschap de oorlog overleefden in Garmisch-Partenkirchen – *Metamorphosen*, een gedicht op muziek dat haast door kon gaan voor de begrafenismuziek voor Duitsland. Er waren andere muzikale voetnoten over een andere Richard, en andere kleinzoons. De familie Wagner had altijd een goede, hechte relatie met Hitler gehad. In hun tienerjaren en jongvolwassenheid noemden Richard Wagners kleinzoons Wieland en Wolfgang Hitler 'oom Wolf'. (De twee bliezen na de oorlog het Wagner Festival in Bayreuth, waar de opera's van hun opa werden opgevoerd, nieuw leven in.) De Wagners hadden Hitler in 1939, toen alles nog zo zijn gangetje ging, voor zijn vijftigste verjaardag de originele partituur van Wagners laatste opera *Parsifal* gegeven, van al Wagners werken Hitlers favoriet. Nu, zes jaar later, wilden ze die terug voordat zij in handen zou vallen van de Russen, en Wieland ging naar Berlijn om Hitler over te halen hem de partituur terug te geven.

Of het nu een mythe is of niet dat de grote Duitse en Oostenrijkse orkesten tijdens hun laatste concert Wagner speelden, zij hoefden dat niet te doen: het stuk werd in de praktijk gebracht, zij het op nogal groteske wijze. Hitler was geen erg goede Siegfried, en Eva Braun was geen Brünnhilde. Hij had tegen haar gezegd dat ze voor haar eigen veiligheid in Zuid-Duitsland moest blijven. Ze slaagde er echter in om nog net voordat de Russen daar arriveerden, naar Berlijn te vliegen, waar ze aankondigde dat het vreselijk zou zijn als Adolf na al die tijd niet met haar zou trouwen. Wat zou de geschiedenis er wel niet van denken als ze slechts doorging voor zijn maîtresse? Zo eindigde het Derde Rijk dus met een min of meer gedwongen huwelijk en vervolgens een slecht geregelde crematie.

De campagne in het westen verliep vreemd traag, wellicht omdat iedereen die erbij betrokken was – behalve Montgomery – instinctief begreep dat het geen zin had de held uit te hangen nu het einde in zich was. Een tragedie deed zich voor in september bij Arnhem. Daar landde op 17 september een Britse paradivisie, in een poging de bruggen over de grote rivieren te veroveren, waar ruim drie eeuwen daarvoor de Spanjaarden waren gestrand. Ze hadden pech, in die zin dat ze op een pantserkorps stuitten dat zich na Normandië had gehergroepeerd. Walter Model – 'Hitlers brandweerman', zoals John Keegan hem noemde – was overgeplaatst van het oostfront en hield stand bij de brug van Arnhem. De Britten waren daardoor veroordeeld tot een winter lang nietsdoen of hooguit centimeter voor centimeter voortgang te boeken. De geallieerden deden van september tot december tergend langzaam nog een aanval bij Aken en in het Hürtgenwald, wederom gericht tegen Model, een zeer effectief commandant, maar ook de botste man binnen het Duitse leger. Drieëndertigduizend geallieerde soldaten werden gedood of op een andere manier uitgeschakeld. Aken was de eerste Duitse stad die viel, maar het ging allemaal langzaam en Hitler kreeg weer hoop dat er nog iets kon worden bereikt tegen tegenstanders die zo klunzig waren als blijkbaar de Anglo-Amerikanen. Kon hij een verrassingsaanval uitvoeren en Antwerpen innemen, de haven van waaruit ze opereerden, en hen uit België verdrijven? Zouden ze hem dan vragen samen tegen de Russen te vechten, het bizarre idee dat al van meet af aan door zijn hoofd speelde? De tegenaanval was, gegeven de omstandigheden, een moedig optreden. Net toen de Russen Boedapest naderden, lanceerde Model met de laatste strategische reserve van het leger een aanval in precies dat deel van Zuidoost-België waar de Duitsers het bijna vijf jaar eerder zo ontzettend goed hadden gedaan. Met behulp van buitgemaakte voertuigen en benzine lukte het de Duitsers om een stukje vooruit te komen, net als Rommel na de val van Tobroek in 1942. Daar dachten ze echter te positief over, want alhoewel de geallieerden niet goed waren in aanvallen, ze konden wel snel een verdediging opzetten, en als het weer eenmaal opklaarde, beschikten ze over genoeg gevechtskracht in de lucht tegen de Duitse troepen die in verkeersopstoppingen terechtkwamen. Rond Kerstmis 1944 was er onvoldoende brandstof om de aanval door te zetten, waarna deze op 8 januari werd afgeblazen. Vervolgens ging het nog steeds tergend langzaam voorwaarts. Toen de Amerikanen half maart eindelijk de Ludendorff-spoorbrug over de Rijn ten zuiden van Keulen veroverden, werd Model teruggedrongen. Intussen stootten de Britten en de Canadezen door naar Hamburg. Het restant van Models legergroep in het Ruhrgebied werd omsingeld, waarna de vraag was of de grote industrieën vernietigd moesten, zoals Hitler wilde. Een aantal Duitsers met een vooruitziende blik saboteerde de orders, zo ook Model, maar hij weigerde zich over te geven. Hij ontsloeg zijn mannen en schoot zichzelf dood.

De westerse geallieerden trokken verder zonder ook maar op enige tegenstand te stuiten. Tot ze op 24 april in een klein stadje in Saksen de Russen tegen het lijf liepen. De volgende dag herhaalde dit tafereel zich, deze keer voor de camera's bij Torgau, waar een brug lag over de Elbe. (Ironisch genoeg was de *Torgauer Marsch* Hitlers herkenningsmelodie op de radio.) Later ontstond er onenigheid over de vraag of de westerse mogendheden niet als eersten Berlijn binnen hadden moeten trekken. Waarom hadden ze toegestaan dat Stalin er als eerste was? Eigenlijk had de onenigheid meer te maken met wat er in 1943 gebeurde, toen Churchill vast kwam te zitten in Noord-Afrika en Italië. Hoe het ook zij, de Russen zelf vroegen zich af waarom zij niet nog voor de westerse mogendheden het Ruhrgebied waren binnengetrokken. Dan hadden ze de economische toekomst van de Sovjet-Unie veilig kunnen stellen. Nu hadden de westerse mogendheden als eersten dit zeer belangrijke industriegebied veroverd, waardoor West-Duitsland binnen het samenwerkingsverband van de Noord-Atlantische Verdragsorganisatie (NAVO) opnieuw een economie van wereldklasse werd. De Russische generaals, na de oorlog zwaar behangen met hele rijen onderscheidingen, meenden dat dit kwam doordat Stalin compleet gefixeerd was op de pockets in de Baltische regio die door Hitler aan hun lot waren overgelaten, de grootste daarvan in Letland. Hoe het ook zij, de Duitsers in het oosten verzetten zich met een razernij die alleen verklaard kan worden vanuit het feit dat ze wisten wat er ging komen.

Hitler had verordonneerd dat de troepen zich niet mochten terugtrekken. Integendeel zelfs, de legers moesten blijven zitten waar ze zaten (*eingeigelt* of 'opgerold als een egel'), net als rond de jaarwisseling 1941-42. Lange tijd werden grote delen van het Rode Leger in de Baltische regio en Oost-Pruisen belaagd; daarnaast waren er ook nog de problemen in het zuiden. Boedapest was een van de grote steden in Centraal-Europa, en het belangrijkste obstakel voor de Russen om door te kunnen dringen was de Donau. Er volgde een zes weken durend beleg, waarin de Duitsers vertwijfeld verzet boden en een groot deel van [het stadsdeel] Boeda in puin werd geschoten. In februari was het voorbij. Het nieuws van Mussolini's dood (hij stierf op 28 april) bereikte Hitler precies op het moment dat de Russen arriveerden in de buitenwijken van Berlijn. In de winter van 1944-45 hadden de Russen zich geconcentreerd op het front in de Balkan, en in oktober hadden ze Belgrado schoongeveegd. Ze waren opgehouden door de troepen die door Hitler in het noorden waren achtergelaten en

moesten zich nu weer concentreren op de verdere opmars in Polen. Er vond opnieuw een grote aanval van de Russen plaats bij
de Wisla, die ook weer zeer zorgvuldig was voorbereid om de verrassing compleet te laten zijn. Hitler had Himmler benoemd tot
commandant van een samenraapsel van de restanten van Legergroep A en Legergroep Midden, die nu onder een andere naam
[Legergroep Weichsel] opereerde in dit gebied. De Waffen-SS, de
gewapende vleugel van de nazipartij, had nu bijna een miljoen
leden (waarvan veel vrijwilligers uit het buitenland). Er was echter geen sprake van dat het Rode Leger kon worden gestopt, dat
(met een snelheid van ruim dertig kilometer per dag) Oost-Pruisen binnenviel en zelfs Elbing (het huidige Elbląg) en Heiligen-
beil (het huidige Mamonovo) binnendrong terwijl de trams daar
nog reden.

Op 24 februari waren alle Duitse tegenaanvallen mislukt. De
Russen stonden bij de rivier de Oder, slechts tachtig kilometer ten
oosten van Berlijn. Ze hadden honderdduizenden vluchtelingen
voor zich uit gedreven, families met karren, die door de sneeuw
ploegden en wanhopig probeerden de overkant van de Oder of via
de bevroren binnenmeren de zee te bereiken. De Duitse literatuur
kent een aantal klassiekers over dit onderwerp. In *Erinnerungen eines alten Ostpreussen* beschrijft Alexander Fürst zu Dohna-Schlobitten hoe hij weg mocht uit Stalingrad omdat hij zes kinderen
had. Hij ging naar huis, het historische landhuis Schlobitten,
haalde daar het personeel van het landgoed van de familie op
en nam het mee naar het westen. Op hun weg door de bossen
naar de veiligheid was zelfs een wiebelend wiel reden voor groot
alarm. *Aus dem Deutschen Adelsarchiv 5. Schicksalsbuch 1 des
Sächsisch-Thüringischen Adels 1945* van Adam von Watzdorf e.a.
beschrijft een andere tocht, deze keer die van Britse krijgsgevangenen die wegtrokken uit een kamp in Silezië en die op hun door-
tocht hete aardappelen te eten kregen van de landeigenaren. Dui-

zenden Duitse burgers, militairen en nazifunctionarissen op de vlucht voor de Russen slaagden erin een plek te bemachtigen op het Baltische stoomschip de *Wilhelm Guttlof*, dat door een Russische onderzeeboot tot zinken werd gebracht. In wat geldt als de ergste zeeramp ooit, verdronken negenduizend opvarenden. Half maart waren de Russen in Silezië en Pommeren, hadden ze Zagreb veroverd en stonden ze op het punt Wenen in te nemen (13 april). Intussen gingen de luchtaanvallen op Berlijn maar door. De laatste, een aanval van de RAF, was op 14 april op Potsdam, waarbij de oude Garnizoenskerk en veel andere gebouwen kapot werden geschoten. De grootste inspanning [van de Britten] om de Russen te helpen vond half februari plaats, toen de RAF Dresden in puin schoot omdat het een spoorwegknooppunt was (dat overigens snel weer werd hersteld). Deze gebeurtenis leidde tot veel kritiek, waarbij Churchill zelf ook protesteerde tegen de vernieling van het 'Florence aan de Elbe'. Er zat wel iets hypocriets in de bezwaren, want Churchill zelf was een vurig voorstander van gebiedsgewijze bombardementen. Wat Berlijn betreft: Mosquito's – jachtbommenwerpers – van de RAF gingen tot Hitlers verjaardag op 20 april door met bombarderen.

Er zijn foto's van de Führer – op dat moment zesenvijftig, maar hij zag er veel ouder uit – dat hij een tienerjongen in een veel te grote herenoverjas (een weesjongen uit Dresden) een zacht klopje tegen de wang geeft als de jongen zich aansluit bij de 'Volkssturm', een Duitse volksmilitie. Op 9 april gaf Koningsbergen, grotendeels in puin geschoten, zich over, waarna Zjoekov zich alleen nog maar hoefde te concentreren op het laatste obstakel voor Berlijn, de Seelower Höhen, terwijl de legergroepen van Rokossovski en Konev in het noorden en het zuiden zich eveneens samentrokken voor de opmars naar Berlijn. Bij elkaar waren dat tweeënhalf miljoen manschappen, tweeënzestighonderdvijftig tanks, vijfenzeventighonderd vliegtuigen en meer dan veertigduizend stuks geschut (met op vrachtwagens geïnstalleerde katjoesja's, die elk tientallen raketten konden afschieten). De Duitsers deden op de Höhen nog een laatste wanhopige en meedogenloze poging tot verzet. Op 19 april werd de verdediging echter opnieuw verpletterd, en hoewel de prijs hoog was – dertigduizend doden en bijna drieduizend kapotgeschoten tanks – werd Berlijn omsingeld. Op 22 april zag Hitler dat zijn ideeën voor een redding van waar dan ook, vanuit Silezië bijvoorbeeld, niet konden worden gerealiseerd. Hij was zo ontzettend boos op zijn generaals, dat iedereen die erbij was het nooit meer vergat. Hij zei dat hij in Berlijn zou blijven en zelfmoord zou plegen. Vijftigduizend gewone soldaten, veertigduizend oudere soldaten van het nationale reserveleger, tienerjongens en een paar buitenlandse SS'ers (inclusief twee dozijn Britten, met een kleine Union Jack op de mouw van hun jas genaaid) vochten door, terwijl de inwoners van de stad dekking zochten waar ze maar konden tegen de niet-aflatende bombardementen. Er werd fel gevochten om de bruggen over de Havel en langs de belangrijkste verkeersslagaders van Berlijn, richting de stations en de monumenten, inclusief de Rijksdag. Merkwaardig genoeg werd de Siegessäule, het monument voor de oorlogen van Bismarck, niet neergehaald, evenmin als de triomfantelijke busten van de eerbiedwaardige heersers van het oude Brandenburg. Niettemin stonden de Russen eind april in de regeringswijk.

Het was tijd voor Hitlers laatste show: de trouwerij in de vroege uren van 30 april, compleet met bedienden in witte uniformen die dik belegde boterhammen met sekt (mousserende wijn) serveerden. De buitenstaander die in de bunker was gehaald om de huwelijksceremonie te voltrekken – de man mocht dat omdat hij ambtenaar was, in zijn geval plaatsvervangend hoofd van de vuilophaaldienst in het district Pankow – vroeg plechtig aan het stel: 'Bent u van Arische origine?' Vervolgens werd het vegetarische huwelijksontbijt genuttigd, en daarna pleegden Hitler en Eva Braun zelfmoord, waarna men zich op een klunzige manier van de overblijfselen van de lichamen probeerde te ontdoen door ze te verbranden. Die eindigden samen met de andere lijken uit de bunker in een paar dozen, met daarin ook de overblijfselen van een hond en haar puppy's, op wie de zelfmoordpillen waren getest omdat niemand het vertrouwde of de SS-artsen wel echt cyanide gaven. (De trainer van de honden werd later gek.) Toen bekend werd dat Hitler dood was, zetten de secretarissen en de adjudanten in de kanselarij jazzmuziek op en rookten een sigaret, hetgeen verboden was in het bijzijn van Hitler. Honderdduizenden Duitse gevangenen marcheerden af naar de Sovjet-Unie, velen van hen kwamen nooit terug (en de gevangenen uit de bunker pas in 1955, omdat ze tot die tijd werden gemarteld; het Russische hoofd van de NKGB (het Volkscommissariaat voor de Staatsveiligheid), Lavrenti Beria, wist namelijk niet zeker of Hitler niet toch was ontsnapt.) De definitieve overgave – één keer aan de geallieerden, één keer aan alle strijdkrachten, inclusief die van de USSR – geschiedde op 8 en 9 mei. De zeer vermoeide Churchill was al vrij snel bij de bunker waar het allemaal gebeurde, maar het einde van het Derde Rijk was geen moment voor gejuich, zoals de wapenstilstand van 1918 was geweest. Er waren zo'n zeventig miljoen mensen omgekomen, en Europa was (evenals een groot deel van Azië) grotendeels in puin geschoten. Het vreemde was dat, hoe fanatiek de laatste tegenstand ook was die werd geboden, er nadien vrijwel geen sprake was van verzet. De Duitsers waren murw gebeukt door wat er allemaal was gebeurd, en toen de bioscoopjournaals (gedwongen) beelden vertoonden van de concentratiekampen, waren er maar weinig pogingen om die te rechtvaardigen. De enige pseudoserieuze pogingen om de geschiedenis te herzien, kwamen uit geallieerde landen. In de jaren meteen na de oorlog vluchtten er twaalf miljoen Duitsers naar het westen; misschien wel een kwart van hen stierf van uitputting, van de honger, door ziekte of door geweld. On-schuldige families, die nooit op welke nazipartij dan ook hadden gestemd, werden van boerderijen in de Tsjechische provincies of in Silezië weggestuurd nadat er aanplakbiljetten opgehangen wer-den op openbare plaatsen. Op die aanplakbiljetten stond, in min of meer dezelfde woorden als de nazi's hadden gebruikt voor de Joden: 'Alle Duitsers, ongeacht leeftijd of geslacht, dienen zich om ... uur te verzamelen op het stadsplein', waarbij ieder één koffer mocht meenemen, om te worden gedeporteerd naar een of andere in puin geschoten Duitse stad. Het was, zoals toen met spottend medelijden werd gezegd: *Heim ins Reich*, 'terug naar het rijk thuis', naar Duitsland, een veel kleiner Duitsland. West-Duitsland kende een langdurig verzoeningsproces, dat uiteindelijk een triomfante-lijk succes werd.

Het irriteerde de geallieerden mateloos dat de Japanners, die Hitlers einde zagen naderen, dat niet begrepen en het niet opgaven. De Slag om Saipan vergde een enorme inspanning van de Amerikanen, maar hun vliegtuigen waren nu wel binnen het vliegbereik van het Japanse thuisland. Ten zuiden daarvan trok MacArthur opnieuw op naar de Filipijnen. In de tweede helft van 1944 bereikten de Amerikanen plaatsen van waaruit ze de Japan-se steden konden bombarderen. In de Slag om de Golf van Leyte, in oktober in de buurt van een van de Filipijnse eilanden, vochten enorme slagschepen mee, en de Japanners maakten vernietigend gebruik van een nieuw wapen, de zogenaamde kamikazeacties (zelfmoordaanvallen met vliegtuigen), waarbij piloten hun vlieg-tuig in het dek van een schip boorden. Roosevelt had MacArthur toestemming gegeven om zich te concentreren op de Filipijnen, om de Japanse aanvoerlijnen door te snijden. Admiraal Chester Nimitz had echter zijn eigen opvattingen én het bevel over de ma-rine: hij zette de vliegdekschepen in bij de strijd om Formosa (nu Taiwan). Die manoeuvre had het gebruikelijke effect dat Japanse vliegtuigen daar naartoe werden getrokken. In drie dagen tijd werden er zeshonderd neergehaald, waardoor er minder Japanse luchtdekking was in de Golf van Leyte. Een groot aantal Japanse oorlogs- en vliegdekschepen werd tot zinken gebracht, en op 20 oktober landden de Amerikanen op Leyte. Ze veegden het eiland min of meer schoon en trokken op naar Luzon, het grootste eiland van de Filipijnen, en vervolgens in januari naar Manilla. Er werd voor deze operatie een grotere Amerikaanse troepenmacht ingezet dan in Noord-Afrika of Italië, en de strijd was zeer wreed. Bijna alle kwart miljoen Japanse soldaten die werden ingezet voor de verdediging van Luzon, werden gedood, hoewel het resterende deel zinloos door bleef vechten toen de oorlog al ten einde was. Een van de belangrijkste eilanden van de Filipijnen, Mindanao, had tot 15 augustus te maken met dit verzet. Eerder dat jaar was Birma bevrijd door Anglo-Indische troepen. Dat gebeurde tijdens 'Operatie Dracula', een met durf uitgevoerde nachtelijke amfibische landing, hoewel de Japanners feitelijk al gewoon weg waren. Tijdens de strijd in Birma kwamen er honderdvijftigduizend Japanse soldaten om het leven, een kleine tweeduizend werden gevangengenomen, waarvan er slechts vierhonderd redelijk gezond waren. Als alle Japanse soldaten zich zo zouden gedragen, was er nauwelijks hoop op een redelijk einde aan de oorlog.

De zuidelijke eilanden van het Japanse thuisland waren nu in zicht. In februari vond er een landing plaats op Iwo Jima, in mei-juni op Okinawa. Kamikazepiloten bezorgden de US Navy daarbij de grootste verliezen ooit geleden in één enkele slag: vijfduizend manschappen kwamen om en tientallen schepen raakten beschadigd of werden tot zinken gebracht. Ongeveer honderdzeventienduizend Japanse soldaten verdedigden hardnekkig een zeer goed voorbereid Okinawa, ze kwamen bijna allemaal om. Het was een oefening in collectieve gekte en alleen maar toenemende Amerikaanse vastberadenheid om door de slag heen te komen.

Intussen stortte de Japanse oorlogseconomie in. Amerikaanse onderzeeboten begonnen de Japanse koopvaardijvloot tot zinken te brengen, en dat zou hun volledig gelukt zijn als ze niet steeds weg moesten om in plaats daarvan oorlogsschepen tot zinken te brengen. In oktober hadden de Japanners nog maar zeer weinig brandstof. Hun grootste slagschip, de *Yamato*, zou uitvaren naar Okinawa en kreeg nog slechts vierhonderd ton toegewezen, een tiende van de hoeveelheid die in de brandstoftanks ging. Deze blokkade had natuurlijk door kunnen gaan, waarmee de Amerikanen het land hadden kunnen vernietigen zonder de noodzaak van een invasie over land. Maar de US Army Air Forces was er ook nog, en die beloofde doorslaggevende resultaten door bombardementen. De Amerikaanse bommenwerper B-29 was het stadium van de kinderziekten voorbij. Het was een zeer geavanceerd toestel en had een pantser waar geen mitrailleurkogels doorheen konden. Het kostte echter een paar jaar vol ongelukken en verkeerde tactieken voordat het vliegtuig kon worden gebruikt waarvoor het was bedoeld, zoals gebeurde onder Curtis LeMay, toen de vliegvelden op Guam eenmaal fatsoenlijk operationeel waren.

Hoe de Japanners deze oorlog hadden gevochten, werd duidelijk toen de uitgemergelde krijgsgevangenen werden bevrijd en een derde van hen bleek te zijn omgekomen (tegen vijf procent van de Britten en Amerikanen in Duitse handen). Bij de bevrijding van de Filipijnen koelden de Japanners hun woede en frustraties op de plaatselijke inwoners door hen massaal af te slachten, en in Singapore en Indonesië werd de inheemse bevolking wreed behandeld, met name de Chinezen. De wreedheden in China zijn goed gedocumenteerd, hoewel de juistheid van aantallen Chinese doden – gezien de omstandigheden – nooit exact kan worden vastgesteld. De schattingen lopen uiteen van zestien miljoen tot meer dan twintig – bijna evenveel als in Rusland, zelfs nog zonder de doden uit de jaren dertig, waarvan China het grootste deel in oorlog was.

Intussen leek er geen enkel teken te zijn dat de Japanners de werkelijkheid onder ogen zagen en de handdoek in de ring zouden gooien. De drie overwinnaars waren van 17 juli tot 2 augustus bij elkaar gekomen in Potsdam, waar ze de Japanners opriepen zich over te geven. Nu de oorlog met de Duitsers voorbij was, was het moment daar om zich te richten op de Pacific. Tijdens de Conferentie van Jalta, in februari 1945, waren de drie leiders overeengekomen dat wanneer de oorlog in Europa voorbij was, de USSR het niet-aanvalsverdrag met Japan zou opzeggen en het land de oorlog zou verklaren. In ruil daarvoor kreeg Stalin de controle over het Europa ten oosten van de Elbe (naar zijn idee ook een vrijbrief om op slinkse wijze delen van Iran en ook Turkije in handen te krijgen). De Amerikanen wilden natuurlijk niet de Sovjets in China hebben, laat staan in Japan, maar ze wilden ook niet dat ze Japan in hun eentje moesten onderwerpen.

Drie maanden na het einde van de oorlog in Europa beloofde Stalin op te zullen treden, hetgeen hij exact volgens plan op 9 augustus deed, met de invasie van Mantsjoerije. Een miljoen soldaten zorgden voor een snelle ineenstorting van het Japanse leger aldaar. Een teken van wat ze hadden mogen verwachten als de oorlog nog langer had geduurd, was dat in de chaos met de pest geïnfecteerde ratten ontsnapten en een epidemie veroorzaakten. Er was die maand echter sprake van een nog veel grotere tegenslag. De strategische bombardementen onder leiding van LeMay waren vernietigend. De Japanse huizen waren klein en kwetsbaar, zoals bekend gemaakt van papier en hout, om aardbevingen te kunnen weerstaan. Gezien de wijdverbreide haat tegen de Japanners waren ze een logisch doelwit, en toen er goede luchthavens waren voor de B-29's, en plekken om te tanken en reparaties te laten uitvoeren – op Iwo Jima en Okinawa – waren de Japanse steden ook nog eens een gemakkelijk doelwit, temeer omdat ze geen jachtvliegtuigen en luchtafweergeschut zoals de door de Duitsers ontwikkelde Flak hadden om zich te beschermen. Slechts een paar B-29's werden neergehaald door Japans vuur; de doden waren het gevolg van technische mankementen, het weer en soms een fout van de piloot. De Japanse industriële productie, sowieso al geraakt door een blokkade, kwam terecht in een neerwaartse spiraal, en alleen al op 9 en 10 maart 1945 vonden honderdduizend mensen de dood in de vuurstorm die ontstond door de aanval op Tokio. Daarnaast werden tijdens 'Operatie Starvation' de rivieren en kanalen in Japan vanuit de lucht vol mijnen gelegd, waardoor de Japanse gezinnen geen voedsel meer kregen. Hetzelfde was ook gebeurd in Duitsland.

Dit was het begin van het einde van het Japanse Rijk. Op 6 en 9 augustus werden er twee atoombommen gegooid, op Hiroshima en Nagasaki. De atoombom had een lange, met name Centraal-Europese ontstaansgeschiedenis, en het feit dat de bom werd uitgevonden door een stel getalenteerde natuurkundigen, waarvan een aantal Joods, was een opmerkelijke manier van vergelding van de nazicampagne tegen de Joden. Het was tevens een overwinning van het Britse vernuft en het Amerikaanse ondernemerschap.

De Japanners hadden nog steeds connecties met Moskou en probeerden de Russen zo ver te krijgen dat ze zouden bemiddelen en zouden zorgen voor fatsoenlijke vredesvoorwaarden. Ze meenden echter ook nog steeds een bepaalde macht te hebben, hetgeen hun eigen ambassadeur in Moskou, een man met gezond verstand, tot woede dreef. Intussen hadden de bevelhebbers in Tokio het rustig en kalm over verzet tot het bittere eind. De atoombom was half juli met succes uitgetest in Los Alamos, in de woestijn van Nieuw-Mexico. Harry Truman – inmiddels president, na het onverwachte overlijden van Roosevelt in april – was een gewetensvol man, die de vraag stelde of het gooien van deze bom wel ethisch was. Hij zette toch door en gaf de Army Air Force algehele toestemming. Hiroshima had tot dan toe nog niet veel te verduren gehad, tot op 6 augustus de bom viel. Er bleef niets van de stad over, en tachtigduizend mensen vonden de dood. De Japanners gingen door met hun onderlinge geruzie, waarna er nog een bom werd gegooid, deze keer op Nagasaki; dertigduizend mensen kwamen om. Een paar volhouders probeerden zelfs nog een coup te plegen, maar ze werden verslagen en gedood. Op 15 augustus gaf de keizer – normaal gesproken slechts een symbolische figuur – zich over, op voorwaarde dat zijn eigen rol als hoeder van de continuïteit in Japan werd gerespecteerd. De Amerikanen gingen hiermee akkoord; ze vroegen zich toch al af wat ze met Japan aan moesten. Met het laatste restje waardigheid dat ze nog bezaten, meldde de oude orde van Japan zich op 2 september op een Amerikaans oorlogsschip in de Baai van Tokio, en ondertekende de akte van overgave, met generaal MacArthur als triomfantelijk toeschouwer.

Hoofdstuk 10

De nasleep

*Duitsland werd nu
het knelpunt tussen
de Russen en het Westen*

*Maarschalk Georgi Zjoekov inspecteert
de Russische troepen tijdens een
overwinningsparade, juni 1945.*

De Eerste Wereldoorlog eindigde formeel met een aantal vredesverdragen, waarvan de eerste binnen een paar maanden na de
wapenstilstand werden opgesteld. Dat bleek een vergissing, omdat de haat als gevolg van de oorlog het klimaat bleef vergiftigen.
Bovendien droegen de onderhandelingen over de verdragen in
de van wraak vervulde Franse hoofdstad er op geen enkele wijze
toe bij dat die haat minder werd. De Duitsers werden vernederd,
maar toch moest hun nieuwe Weimarrepubliek – onder dreiging
van de hongerdood door een blokkade – de voorwaarden accep-
teren. De verhoudingen in de republiek waren dus van meet af
aan verziekt. In feite was de oorlog met de in Parijs gesloten verdragen helemaal niet voorbij, hij ging gewoon door – in Rusland,
waar de communisten hadden gewonnen, en in Turkije, waar de
nationalisten met de hulp van de communisten de westerse geallieerden – met name de Britten – en hun gevolmachtigden versloegen. Pas in 1923 eindigde de oorlog definitief, met het Verdrag
van Lausanne in Zwitserland, en in 1924 werden er eindelijk serieuze maatregelen genomen om Duitsland en zijn bondgenoten
te integreren in een mondiaal systeem. De belangrijkste grief van
de Duitsers betrof de schadeloosstelling die ze moesten betalen
aan de Fransen en de Belgen: de herstelbetalingen. Alle Duitsers
gaven deze betalingen de schuld van hun economische problemen, met name de enorme inflatie. In 1924 kwam er een carrou-
sel op gang waarin de Verenigde Staten Duitsland geld leenden
om Frankrijk te betalen, dat vervolgens hiermee zijn schulden
aan Groot-Brittannië kon afbetalen, dat op zijn beurt weer zijn
schulden afbetaalde aan de Verenigde Staten. Dit absurde systeem viel uiteen met de beurskrach van Wall Street in 1929 en de
daaropvolgende totale ineenstorting van de internationale economie. De afspraken van Versailles met de daarbij behorende co-
dicillen hielden een jaar of tien stand. Een belangrijk teken dat
de Fransen de hele constructie niet meer zagen zitten, was het

feit dat ze in 1930 begonnen met de geldverslindende bouw van de Maginotlinie. (Met die enorme witte olifant richtten ze al hun defensie-inspanningen volledig te gronde.)

Het einde van de Tweede Wereldoorlog was nog veel minder netjes dan dat van de Eerste Wereldoorlog. Er was in feite zesenveertig jaar lang geen echt vredesverdrag met Duitsland, dat kwam er pas in 1991. In de zomer van 1945 werd door de Grote Drie een eerste poging gedaan een deal te sluiten met de Duitsers. De bijeenkomst vond plaats in Potsdam, in een buitenverblijf dat wel iets weg heeft van Sandringham en dat in 1917 (uitgerekend dat jaar) gebouwd was voor de Duitse kroonprins. Die bijeenkomst werd afgesloten zonder dat er overeenstemming was over de belangrijkste zaken, zelfs niet over de nieuwe Duitse oostgrens. Er was in elk geval geen Duitse regering waarmee verder kon worden onderhandeld: de bezettingsmachten ruzieden gewoon met elkaar, waarbij de Fransen soms de kant kozen van de Russen. Niet lang daarna kwam de Koude Oorlog op gang. Het symbolisch gezien misschien wel beste moment om de start daarvan te bepalen is november 1945, omdat de Russen toen weigerden in te stemmen met de Anglo-Amerikaanse plannen voor de heropleving van de wereldeconomie.

Een van de belangrijke verschillen tussen de twee wereldoorlogen is de manier waarop het nadenken over de economie doorging. Nu lijkt het belachelijk, maar in 1918 hadden de Europese hoofdsteden grootse plannen met hun hulpbehoevende buren. In het boek van Georges-Henri Soutou uit 1989, *L'or et le sang*, staat een lange lijst met deze plannen, die in het akkoord van na de oorlog deels konden worden gerealiseerd: nieuwe annexaties, met name in het Midden-Oosten; Duitse herstelbetalingen in goudmark aan de Fransen; confiscatie van de Duitse marine- en handelsvloot ten gunste van de Britten; de Belgen wilden zelfs een deel van de Scheldedelta overnemen van de Nederlanders, om de Antwerpse handel te bevorderen. De Amerikanen waren niet hebzuchtig als het om deze zaken ging, maar wat iets anders betreft waren ze volledig blind: ze wilden hun geld terug van de landen die ze het, via de heffing van in- en uitvoerrechten, tevens onmogelijk maakten dat geld te verdienen. Deze nonsens culmineerde in de ineenstorting van de wereldhandel, die terugkwam om de Amerikanen te kwellen met vijfentwintig miljoen werklozen. Na de Tweede Wereldoorlog trokken een paar wijze mannen daaruit de conclusie en zij zeiden: 'Nooit meer.' Tijdens de onderhandelingen van de Britten met de Amerikanen over hun oorlogsleningen ging een van de bepalingen onvermijdelijk over de vraag waar de dollars voor moesten worden gebruikt. De Amerikanen deden grote moeite om de Britten te dwingen te stoppen met het gebruik van Amerikaanse hulp om hun eigen handel met neutrale landen te bevorderen. Churchill voelde zich hierdoor geschoffeerd. Uit deze onderhandelingen kwam echter een aantal akkoorden voort over de monetaire samenwerking, en wederzijdse afspraken over wat er na de oorlog moest gebeuren. De handel mocht nooit meer zo instorten als in de jaren dertig, toen miljoenen mensen zonder werk kwamen te zitten. Er zouden op de een of andere manier internationale afspraken moeten komen om ervoor te zorgen dat het geld bleef stromen en de handel door kon gaan. Tijdens de Conferentie van Bretton Woods in de zomer van 1944 werd dat geregeld. Dit was het begin van het Internationaal Monetair Fonds en de Wereldbank, die werden opgericht om landen te redden die een groot deel van de wereld mee zouden slepen als ze ineen zouden storten. Door het uitbreken van de Koude Oorlog werkte het systeem een paar jaar na de oorlog niet. Een van de redenen waarom het niet werkte, was dat als landen wilden profiteren van Bretton Woods, ze moesten toestaan dat hun financiën werden geïnspecteerd; de Sovjet-Unie weigerde dat.

Duitsland werd nu het knelpunt tussen de Russen en het Westen. De Russen wensten herstelbetalingen [te ontvangen] en ontmantelden een enorm aantal bedrijven in dat deel van Duitsland waar zij de controle hadden. Ze namen ook raketgeleerden gevangen, die hun geheimen prijsgaven ten behoeve van het ruimtevaartprogramma van de Sovjet-Unie. (Hetzelfde gebeurde natuurlijk ook bij de Amerikanen, hoewel daar de gevangenen vrijwillig meewerkten en goed werden beloond.) Het Duitsland achter de Elbe bleef achter in erbarmelijke omstandigheden, een slaveneconomie, en de concentratiekampen bleven open voor onwilligen. Moskou wilde met name met de Britten samenwerken, omdat zij de controle hadden over het Ruhrgebied, het grootste Duitse industriegebied. (De Amerikaanse bezettingszone, met als basis Frankfurt, had veel minder industrie.) Om te beginnen lag de sympathie van de Britten bij de Russen; de Britten waren verantwoordelijk voor heel Noordwest-Duitsland, dat eveneens in slechte omstandigheden verkeerde. Kilometers achter elkaar niets dan kapotgeschoten huizen, sloten en kanalen, spoorlijnen, fabrieken. Miljoenen Duitsers trokken uit het oosten weg en vochten voor een plek om te wonen, vaak niet meer dan hoopjes puin. De bewoners daarvan verkochten hun lichaam voor sigaretten. Hoewel in de verdragen was afgesproken dat de Britten uiterlijk in 1950 Duitse machines naar Rusland zouden sturen, wisten ze dat als de Duitsers door dergelijke herstelbetalingen honger zouden lijden, de Britten en de Amerikanen voedsel zouden moeten sturen, ook al was er in Groot-Brittannië zelf een tekort. Aanvankelijk protesteerden alleen moreel hoogstaande Britten en Amerikanen tegen de vreselijke behandeling van de Duitsers, maar de eerste maanden van de bezetting veranderde dit. De Verenigde Naties stuurden CARE-voedselpakketten [Cooperative for Assistance and Relief Everywhere] en er was veel interesse van particuliere Amerikanen. (Er werd een speciale inzameling gehouden voor de Boedapestse intelligentsia, die daardoor verder kon.) Er was natuurlijk ook behoefte aan lokaal bestuur, en die job kon beter worden gedaan door de Duitsers dan door geallieerde militairen, die daar niet voor opgeleid en daarin onkundig waren. Onder de nazi's vervolgde, democratisch gezinde Duitsers konden hiervoor worden ingezet. De belangrijkste daarvan was Konrad Adenauer, van 1949 tot 1963 bondskanselier van Duitsland (hij was drieënzeventig toen hij daarmee begon en ging door tot zijn zevenentachtigste). Uit de chaos van 1946 ontstond een nieuw Duitsland, en in september hield James Byrnes, de Amerikaanse minister van Buitenlandse Zaken, zijn beroemde speech in Stuttgart, waar hij de leiders van de Duitse deelstaten voorhield: 'Volgens de Amerikaanse regering dient het Duitse volk in heel Duitsland, met de juiste waarborgen, vanaf nu zelf verantwoordelijk te zijn voor het eigen bestuur.' Op 1 januari 1947 werden de Britse en de Amerikaanse zones formeel samengevoegd onder de naam 'Bizone' of 'Bizonia', waardoor de juiste politieke besluiten konden worden genomen met betrekking tot transport en handel. Tot dat moment heerste onder Duitse critici de nogal extreme opvatting dat de Britse bezettingsautoriteiten, met hun socialistische standpunten (Clement Attlee van de Labourpartij was inmiddels Churchill opgevolgd), de economie in het Ruhrgebied meer schade toebrachten dan de bommenwerpers in het verleden.

Gedeeltelijk ging het hier alleen om administratieve verbeteringen – noodzaak dreef de Anglo-Amerikaanse autoriteiten tot samenwerking met de Duitsers. Maar er was ook de dreiging uit het oosten. De Sovjets vestigden meteen een democratisch bestuur in Berlijn, nog voor de andere overwinnaarsmachten. De kern van dit bestuur bestond uit de groep Duitse communisten, geleid door Walter Ulbricht, die de oorlog in Moskou had overleefd. Merkwaardig genoeg verwachtte Stalin dat de Duitsers communistisch zouden stemmen, uit bewondering voor wat hij in de Sovjet-Unie had bereikt: de Duitsers hadden dan wel de tsaar verslagen, maar hij had Hitler verslagen. Dat deden ze niet, integendeel zelfs. Het standaard antwoord op dit dilemma was de regerende socialisten te dwingen zich aan te sluiten bij de communisten, en met Pasen 1946 drukten de Sovjets dit door middel van angst en chantage met harde hand door. De 'Sozialistische Einheitspartei Deutschlands' (SED) werd opgericht, met Ulbricht – met zijn irritante, Saksische falsetstem – aan het hoofd. Hij leidde Oost-Duitsland met behulp van de gebruikelijke frauduleuze verkiezingen en neppartijen. Aan de andere kant kreeg de bevolking toen in elk geval wel een minimale hoeveelheid voedsel. In het westen, daarentegen, kenmerkten de maanden januari tot april 1947 – een van de strengste winters ooit – zich door honger en kou. Byrnes' opvolger als minister van Buitenlandse Zaken, generaal George C. Marshall, reisde per trein door een Frankrijk dat op het randje stond te worden overgenomen door de communisten, en door een vernield Duitsland, vol illusies naar een akelig vijandig Moskou. Stalin vertelde Marshall dat hij ervan uitging dat de communisten continentaal Europa zouden overnemen, hetgeen Lucius Clay, de Amerikaanse plaatsvervangend militair gouverneur, de uitspraak ontlokte: 'Kiezen tussen communist zijn en vijftienhonderd calorieën per dag krijgen of geloven in de democratie met duizend, is geen keuze.' Stalin had Polen al overgenomen via frauduleuze verkiezingen, en herhaalde spoedig daarop hetzelfde kunstje in Hongarije en Tsjecho-Slowakije. In antwoord daarop kondigde Marshall in juni 1947 op Harvard aan, dat de Verenigde Staten West-Europa te hulp zouden komen. Een enorm bedrag van vijf miljard dollar werd gereserveerd voor de leniging van West-Europa's urgentste behoeften, door de extreem slechte winter een zaak van leven en dood. Voor de uitvoering van het Marshallplan werd een aantal organisaties opgericht, aangezien zelfs de Franse regering niet beschikte over de meest elementaire gegevens. (De Griekse vertegenwoordiger voor de Europese samenwerking bij de organisatie voor de uitvoering van het Marshallplan werd aangetroffen in zijn Parijse kantoor terwijl hij ze aan het verzinnen was.) De West-Duitsers werden toen – tijdens hun eerste optreden op internationaal niveau, zij het indirect – vertegenwoordigd door de Amerikaanse bezettingsautoriteiten. Op dat directe moment werd West-Europa inderdaad gered, en het gevaar dat de communisten de boel zouden overnemen – zeer reëel in Frankrijk, Italië en Griekenland – nam af. Vervolgens besteedden de diverse landen het geld van het Marshallplan aan hun eigen behoeften: de Duitsers bouwden er hun infrastructuur mee op en de Britten – die in 1946-47 negentig procent van hun eigen dollarinkomsten uitgaven aan sigaretten – financierden er voornamelijk de heropbouw van hun buitenlandse investeringen mee. (Dat herstel geschiedde opmerkelijk snel, terwijl het Britse transportsysteem het slechtste werd van Europa.)

De Amerikanen hadden één eis: dat de Europeanen het geld niet gewoon voor zichzelf hielden door controle op de deviezenhandel. Er moest handel mee worden gedreven, het moest rollen. Dat betekende dat Frankrijk en België – toen een redelijk grote industriële macht met ook nog grondstoffen in Belgisch-Congo – andere landen, met name Duitsland, niet mochten discrimineren. De Nederlandse economie was voor de helft afhankelijk geweest van de handel met Duitsland; in de ogen van de Amerikanen was het een eerste vereiste dat die zich herstelde. Dus werd de Europese Betalingsunie opgericht, die datgene voor de Europese handel moest doen wat het IMF moest doen voor de wereldhandel. Toen in 1950 industriëlen in het Ruhrgebied ruwe grondstoffen hamsterden om ervoor te zorgen dat de ophanden zijnde sterke stijging van de industriële export voort zou duren, kwam de nieuwe Duitse munt, de D-mark, onder druk te staan. De Betalingsunie trok de teugels aan en de mark werd gered. Merkwaardig genoeg waren de Amerikanen, in hun verlangen naar het creëren van één grote Europese markt gebaseerd op dezelfde principes als hun ei-

gen, de eersten die met een voorstel voor één gemeenschappelij-
ke Europese munt kwamen. Het plaatsvervangend hoofd van het
Marshallplan stelde voor deze de ecu te noemen, de 'European
Currency Unit'. Vervolgens kwam ten tijde van de Koreaoorlog het
geld van het Marshallplan via een andere route terecht in de herbewapening. In die jaren ontstond echter ook de ene na de andere
organisatie van de naoorlogse Atlantische wereld, vaak ook via elkaar: de 'General Agreement on Tariffs and Trade' (GATT) voor een
vrije wereldhandel, in 1947; de OESO (Organisatie voor Economische Samenwerking en Ontwikkeling), de organisatie voor de uitvoering van het Marshallplan, die nog steeds bestaat; de Europese
Gemeenschap voor Kolen en Staal (EGKS) in 1951, bedoeld om de
Franse en de Duitse kolen- en staalindustrie samen te laten werken. (Dit was zelfs de oorsprong van de Europese Unie, in elk geval van de vlag daarvan, met de blauwe kleur voor het staal, zwart
voor de kolen en de gele sterren die stonden voor het aantal staten
dat betrokken was bij de oprichting ervan, oorspronkelijk zes.) De
oprichting van de Noord-Atlantische Verdragsorganisatie (NAVO)
in 1949 vormde de kroon op het geheel. Parallel daaraan werd de
Bondsrepubliek Duitsland (BRD) opgericht, die formeel in oktober
1949 haar grondwet kreeg.

Het naoorlogse West-Duitsland was een groot succesverhaal.
De Duitsers hadden geleerd van de ervaringen uit de Weimarrepubliek. Met de komst van Hitler kwam er ook een einde aan de
fantasieloze grondwet van de republiek, die leidde tot eindeloze
verkiezingen volgens het systeem van evenredige vertegenwoordiging. Het nieuwe 'Grundgesetz' (de – tijdelijke – grondwet, na de
Duitse hereniging zou een nieuwe, definitieve grondwet worden
opgesteld) was kort en bondig, met een goede balans tussen de
macht van de federale overheid en de deelstaten, en bescherming
van de grondrechten, zoals de bescherming van het gezin tegen
buitensporige belastingen. De 'Bundesbank' had instructies geen

inflatie meer toe te staan van het soort dat Duitsland twee keer had meegemaakt; er kwam een werkzame cyclus van sparen en investeren op gang; en al in 1955 was de Duitse export groter dan die van Groot-Brittannië, waar deze cyclus niet zo goed werkte. Oostenrijk werd ook een modelnatie. Het naoorlogse Duitsland had één bewonderenswaardig kenmerk, namelijk dat hoewel de miljoenen vluchtelingen iets vreselijks hadden meegemaakt – totaal onschuldige families werden met gedeukte koffers de grens over gejaagd – er opvallend weinig werd geklaagd. De Sudeten-Duitsers gingen door met hun leven en maakten er iets van. Konrad Adenauer, Duitslands leidsman na de oorlog, zei dat er uiteindelijk een magnetische aantrekkingskracht zou ontstaan op het communistische oosten, en hij kreeg gelijk, hoewel het langer duurde dan verwacht. Toen het eindelijk zover was, verliep de verzoening van de Polen en de Tsjechen met de Duitsers zonder al te veel pijn. Er hing in cultureel opzicht natuurlijk ook een prijskaartje aan dit alles: een gebrek aan nationaal vertrouwen, wellicht het langetermijneffect van die vreselijke bombardementen. Om het met A.J.P. Taylor te zeggen: de mensen zongen niet langer 'Duitsland ontwaakt', maar waren evengoed wakker geworden.

Het verhaal van het naoorlogse Japan lijkt veel op dat van Duitsland. Om te beginnen verliep de Amerikaanse bezetting erg chaotisch en leed Japan, net als Duitsland, twee jaar grote armoede. Vervolgens leidde, eveneens net als in West-Duitsland, bestuurlijk gezond verstand in combinatie met een overwinning van de communisten tot een heroriëntatie. In 1949 wonnen de communisten in China de burgeroorlog, en de verslagen troepen van de Kwomintang onder leiding van Tsjang Kai-tsjek trokken zich terug op het eiland Formosa, het tegenwoordige Taiwan. Vervolgens kwamen de Amerikanen met een plan voor de heropleving van de Japanse economie. Het werd een overweldigend succes, net als in West-Duitsland. De econoom Piero Sraffa, bewerker van de correspondentie van David Ricardo en de man die Marx' surplustheorie nieuw leven inblies, nam twee profijtelijke beslissingen in zijn leven: in 1945 kocht hij Japanse staatsobligaties, in 1960 verkocht hij ze weer. Hij verdiende er goud geld mee en stierf als een zeer rijk man. (Hij was ook 'Fellow' aan het Trinity College in Cambridge, waar hij de suikerklontjes telde voordat de schoonmaakster kwam, en als ze wegging, telde hij ze nog een keer.) Decennia verstreken en het contrast met de communisten werd wel heel duidelijk. Het herstel van de USSR ging door, deels door Duitse slavenarbeid (Duitse gevangenen bouwden de wolkenkrabbers c.q. stapeldozen in Moskou.) De extreme invloed van het leger, de overal en altijd aanwezige geheime politie (later de KGB) en herstelbetalingen in de vorm van Duitse goederen maakten herstel mogelijk, hoewel de landbouw tot 1960 niet meer produceerde dan in de tsarentijd. In 1949 werd aangekondigd dat de Sovjets een atoombom zouden lanceren, en in 1950, toen de Chinezen Korea binnentrokken, dreigde de Koude Oorlog heet te worden. De Koreaoorlog bevorderde in feite de vraag naar grondstoffen en Duitse machines, en zorgde ervoor dat de militair-economische structuur van het Westen, met de NAVO als belangrijkste element daarvan, verhardde en effect sorteerde. Dit bracht de Duitse economie in de jaren vijftig en vervolgens de Japanse in de jaren zestig naar een positie in de wereldtop. Al snel was merkbaar dat deze buitengewone en paradoxale ontwikkelingen grote invloed hadden op de communistische staten. China – geconfronteerd met het enorme succes niet alleen van Japan, maar ook van Taiwan en Zuid-Korea, dat in 1960 alleen nog maar pruiken verkocht – paste zich aan. Het succes van dit land bracht hetzelfde teweeg in de USSR, die vervolgens uiteenviel. Daarna werd er eindelijk een vredesverdrag met het verenigde Duitsland ondertekend en kwam er, zesenveertig jaar na de overwinning van de geallieerden, formeel een eind aan de Tweede Wereldoorlog.

Europese politieke grenzen, ca. 1924

Grootste omvang van het nazirijk, herfst 1942

FINLAND

UNIE VAN SOCIALISTISCHE

●Moskou

SOVJETREPUBLIEKEN

IJKSCOMMISSARIAAT
OOSTLAND

●Stalingrad

GENERAAL
GOUVERNEMENT
POLEN
●Krakau

Kiev●
RIJKSCOMMISSARIAAT
OEKRAÏNE

OWA-
IJE

HONGARIJE

Kaspische Zee

ROEMENIE

Zwarte Zee

SERVIË

NTE-
GRO

BULGARIJE

TURKIJE

ALBANIE

T U R K I J E

PERZIË

GRIEKENLAND

SYRIË

CYPRUS

IRAK

Kreta

LIBANON

De oorlog in Azië en de Pacific, 1941-45

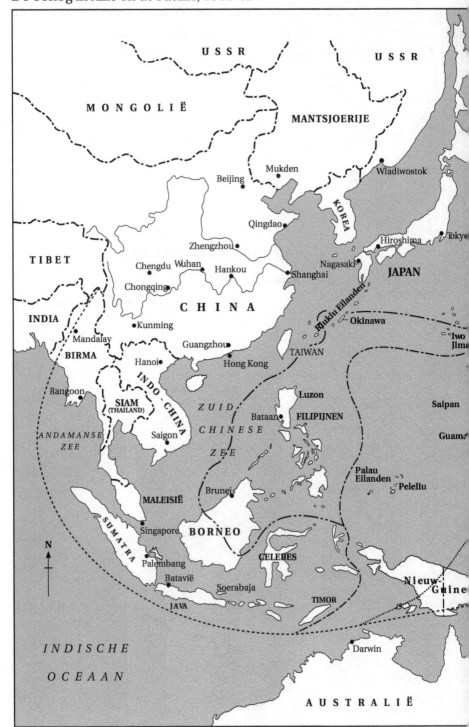

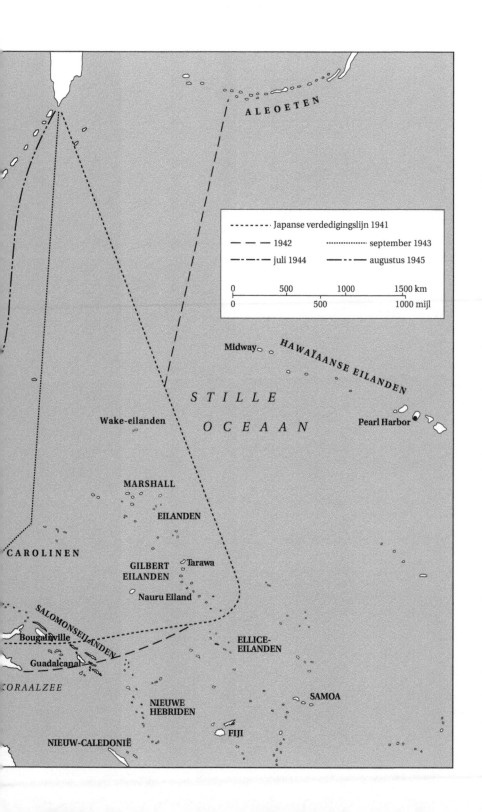

ALEOETEN

Japanse verdedigingslijn 1941
1942 .... september 1943
juli 1944 augustus 1945

| 0 | 500 | 1000 | 1500 km |
| 0 | | 500 | 1000 mijl |

Midway HAWAÏAANSE EILANDEN

STILLE

OCEAAN

Wake-eilanden

Pearl Harbor

MARSHALL

EILANDEN

CAROLINEN

GILBERT Tarawa
EILANDEN

Nauru Eiland

SALOMONSEILANDEN

Bougainville

ELLICE-
EILANDEN

Guadalcanal

KORAALZEE

SAMOA

NIEUWE
HEBRIDEN

FIJI

NIEUW-CALEDONIË

Dankbetuiging

Ik heb door de jaren heen een goede collectie boeken over de Tweede Wereldoorlog opgebouwd. Mijn eerste aankopen waren *The Origins of the Second World War* (1961) van A.J.P. Taylor en *Desert Generals* (1962) van Correlli Barnett. Ik had het geluk als aanvulling hierop gebruik te kunnen maken van een paar voortreffelijke bibliotheken. De Bilkent Library, in Centraal-Anatolië, is in een relatief korte tijdspanne opgebouwd en inmiddels zeer goed bruikbaar; in Engeland zijn de London Library en de Cambridge University Library gemakkelijk toegankelijk, aangenaam en oneindig de moeite waard. Ik ben de drie bibliothecarissen aldaar dankbaar [voor hun hulp]. Ook het hoofd van mijn afdeling, Dr. Pinar Bilgin, en mijn andere collega's aan de universiteit van Bilkent ben ik als altijd dankbaar voor de fijne en productieve sfeer die ze creëren. Ik had ook geluk met mijn uitgevers: Lara Heimert bij Basic Books en Simon Winder bij Penguin. Verder ben ik mijn geweldige en zeer goed geïnformeerde uitgever, Norman MacAfee, speciale dank verschuldigd. Mijn zoon Rupert Stone was de eerste die mijn boek las, en ik ben blij dat hij mij heeft aangemoedigd om door te gaan.

Bronvermelding

Er is een groot en gevarieerd – en soms ook schitterend – aanbod van boeken over de Tweede Wereldoorlog, maar mijn eigen voorkeur gaat toch uit naar *The Second World War* (1990) van John Keegan. Je vindt er zeer duidelijke tekst en uitleg in over militair-technische onderwerpen, zoals de constructie van tanks en vliegtuigen, en er staan uitstekende korte verslagen in van de diverse veldslagen te land, ter zee en in de lucht. Elke bronnenlijst is slechts een druppel in een oceaan, en Keegan dealt met dat probleem door zich te beperken tot vijftig boeken, die voor het merendeel ook mijn keuze zouden zijn. Het beste wat ik kan doen, is daarop aansluiten en er nog vijftig noemen die sindsdien zijn gepubliceerd. Deze beperking lijkt gemakkelijker dan het is, omdat er, gezien het wijdverbreide gebruik van het internet en automatische vertaalprogramma's, zo ontzettend veel Engelstalige boeken over zijn, veel meer dan over de Eerste Wereldoorlog.

Het ultieme standaardwerk is momenteel het dertiendelige *Das Deutsche Reich und der Zweite Weltkrieg*, oorspronkelijk uitgegeven door het Militärgeschichtliche Forschungsamt (Freiburg-Potsdam) en sinds 1990 in een Engelse vertaling van Oxford

University Press verkrijgbaar als *Germany and the Second World War*. Dat is zonder twijfel een zeer wetenschappelijk en objectief werk. *Moral Combat: A History of World War II* (2010) van Michael Burleigh is een verbreding en verdieping van een oude klassieker: *The Last European War* (1976) van John Lukács. Vgl. diens *The Hitler of History* (1997) en *The Duel* (2001), dat gaat over de aanvaring tussen Churchill en Hitler in de zomer van 1940. Ian Kershaw schreef een uitstekende biografie over Hitler: *Hitler* (twee delen, resp. *Hubris* [1998] en *Nemesis* [2000]). Er is nauwelijks een onderwerp, militair of politiek, waarin de auteur geen autoriteit is, zo ontdekte ik toen ik als getuige-expert een aantal bronnen doornam ter voorbereiding op de zaak van *The Guardian* tegen David Irving. Diens boek *Hitler's War* (1977) had een voortreffelijk werk moeten en kunnen zijn, met name wat betreft de aanloop naar de Slag om Stalingrad, maar het werd afgebrand vanwege zijn claim dat Hitler niet wist wat er met de Joden gebeurde. *Fatal Choices* (2008) van Kershaw gaat over de belangrijkste strategische beslissingen. *A World at Arms* (2005) van Gerhard Weinberg is een zeer omvangrijk werk.

Wat betreft het ontstaan van de oorlog is *The Origins of the Second World War* (1961) van A.J.P. Taylor nog altijd zeer bruikbaar, met name de eerste iets meer dan honderd bladzijden, waarin de – soms belachelijke – zwakheden van het Verdrag van Versailles worden aangetoond. *The Lights That Failed* (2005) van Zara Steiner is toonaangevend wat betreft de periode tot 1933 – vanaf dat moment was het verdrag ten dode opgeschreven en stortte de wereldeconomie ineen – en vergevingsgezinder dan het boek van Taylor. *The Battle for Spain* (2006) van Antony Beevor is een zeer goed onderbouwd werk, met veel materiaal over de geheime inmenging van de communisten in de Spaanse burgeroorlog. *Munich* (2008) van David Faber en *Russia's Cold War* (2011) van Jonathan Haslam zijn het vermelden waard.

Julian Jackson behandelt in zijn boek *The Fall of France* (2003) de campagnes van 1939-41, Karl-Heinz Frieser doet hetzelfde in *The Blitzkrieg Legend* (2005) en James Holland in *The Battle of Britain* (2010). *Britain's War Machine* (2011) van David Edgerton geeft een goede samenvatting van de mobilisatie van de Britse oorlogseconomie. Het belang van *Audit of War* (1986) van Correlli Barnett is daarentegen tijdloos, omdat het een gedenkwaardige confrontatie vormt met de Britse zelfgenoegzaamheid. Zijn oude klassieker *The Desert Generals* (1960) over de oorlog in Noord-Afrika is ook nog steeds zeer interessant en uitdagend. Wat betreft het begin van de bombardementen op Duitsland en de voortzetting daarvan is *Bomber Command* (1976) van Max Hastings nog steeds het beste boek. *John Maynard Keynes: Fighting for Freedom* (2001) van Robert Skidelsky is een erkende klassieker, prachtig wat betreft het inzicht in de oorlogsfinanciën en de omstandigheden waaronder de Treasury – het Britse ministerie van Financiën – wist te overleven.

Voor de aanloop naar Operatie Barbarossa in 1941: zie *Grand Delusion: Stalin and the German Invasion of Russia* (1999) van Gabriel Gorodetsky en *Stalin's Folly: The Secret History of the German Invasion of Russia* (2005) van Konstantin Pleshakov. Vanaf 1989 is er veel aandacht voor het oostfront, omdat er sindsdien een enorme hoeveelheid nieuwe documentatie en informatie boven water is gekomen. *Absolute War: Soviet Russia in the Second World War* (2007) van Chris Bellamy is het algemeen erkende standaardwerk over dit onderwerp, David Glantz heeft echter ook een aantal werken geschreven die gaan over zijn eigen opmerkelijke ideeën omtrent wat niet mocht worden gezegd over de officiële geschiedenis van de Sovjet-Unie: *The Gates of Stalingrad: Soviet-German Combat Operations, April-August 1942* (met Jonathan M. House) en *Armageddon in Stalingrad: September-November 1942* (2009). Glantz legde uit wat hij bedoelde in zijn essay

'Forgotten Battles of the Soviet-German War, 1941-45' in het boek *Russia: War, Peace and Diplomacy* (2004) van Ljubica Erickson en Mark Erickson (ed.), dat ook belangrijke artikelen bevat over aspecten van het oostfront. *Russia's War* (1997) van Richard Overy is een oudere uiteenzetting over dit onderwerp; een uitstekend boek over de wreedheid van deze slag is *Stalingrad* (1998) van Antony Beevor. In het boek van de Ericksons legt hij (in het hoofdstuk 'Stalingrad en het onderzoek naar de manier waarop de oorlog ervaren werd') uit hoe hij te werk ging: door juist ook de niet gemerkte (en dus indirect verboden) bladzijden te lezen.

Voor de aspecten van het nazibewind in Europa en het westen van de USSR: zie *Hitler's Empire: Nazi Rule in Occupied Europe* (2008) van Mark Mazower, de opvolger van het standaardwerk *German Rule in Russia 1941-1945* (1981) van Alexander Dallin. 'Hitler and the Euphoria of Victory' van Christopher Browning in *The Final Solution: Origin and Implementation* (1996) van David Cesarani (ed.) is het toonaangevende artikel over dit onderwerp, toch vind ik de toon van *The Final Solution* (1953) van Gerald Reitlinger de meest aangewezen. J.-C. Pressac deed sinds het opengaan van de communistische archieven zorgvuldig onderzoek; in *Auschwitz* (1989) zijn betrouwbare statistieken opgenomen en vertelt hij het verhaal van de geschiedenis van het museum (delen daarvan zijn een reconstructie). Zie *The Third Reich Between Vision and Reality* (2001) van Hans Mommsen voor een uitleg van de diverse verklaringen van deze auteur over dit onderwerp. *The Wages of Destruction* (2006) van Adam Tooze zorgde voor beroering waar het ging om de ineenstorting van de Duitse economie; de schrijver beweert dat die ineenstorting veel meer te maken had met de opbouw van het leger en de voorbereiding op de oorlog dan wij vermoedden. *Manstein* (2010) van Mungo Melvin en *Winifred Wagner oder Hitlers Bayreuth* (2003) van Brigitte Hamann zijn onthullende miniatuurportretten.

Uiteindelijk was het te prefereren dat half Europa onder een communisme zou leven waarin het misschien beter zou gaan, dan dat heel Europa gebukt zou gaan onder Hitler, waarbij het alleen maar erger kon worden. De laatste fasen van de oorlog werden echter gedomineerd door de dreigende overdracht van Centraal-Europa aan Stalin. Zie hiervoor *Battle for Budapest* (2005) van Krisztián Ungváry of *Ostpreussisches Tagebuch* (1985) van Hans Graf von Lehndorf, en vergelijk die met *Erinnerungen eines alten Ostpreussen* (1989) van Alexander Fürst zu Dohna-Schlobitten. *Hitlers Volksstaat* (2005) van Götz Aly, *Staatsstreich* (1994) en *Der Untergang* (2004) van Joachim Fest zijn goede Duitse bijdragen wat betreft respectievelijk het verhaal rond de bomaanslag [van 20 juli 1944 op Hitler, toevoeging vertaalster] en de situatie in de bunker. *Der Brand* (2002) van Jörg Friedrich beschrijft de bombardementen vanuit een Duits perspectief.

Masters and Commanders (2008) van Andrew Roberts geeft een prachtige beschrijving van de vorming van de strategie in de oorlog in het westen; vergelijk dit met *Churchill: Finest Years* (2009) van Max Hastings. *World War Two in the Mediterranean, 1942-1945* (1990) van Carlo d'Este, *An Army at Dawn* (2002) van Rick Atkinson over Operatie Toorts, *Pendulum of War* (2005) van Niall Barr over de drie veldslagen bij El Alamein, en *The Imperial War Museum Book of the War in Italy* (2001) van Lord Carver zijn aanbevelenswaardig. In *The Making of the British Army* van Allan Mallinson worden deze veldslagen in perspectief geplaatst. *Armageddon* (2004) van Max Hastings geeft een goede beschrijving van het einde van de oorlog tegen Duitsland.

Wat betreft de oorlog in het Verre Oosten: zie *The Pacific War* (2010) van William B. Hopkins, *The Rising Sun* (1970) van John Toland, *Eagle Against the Sun* (1985) van Ronald Spector en *Nemesis* (2007) van Max Hastings.

Register